ANTOLOGIA

DE

DRAMAS

PARA JOVENES Y ADULTOS

Irma Chávez
María Cristina K. de Sokoluk
Alejandro A. Varela Partida
Eddie Valencia Angel
Samuel Stamateas
José David Guevara Muñoz
María A. Ros Moreno
Silvia Emilse Salomón
Charlene y Susan Ray
Dora A. Minjares de García
Joel Alfaro Valle

CASA BAUTISTA DE PUBLICACIONES

CASA BAUTISTA DE PUBLICACIONES

Apartado Postal 4255, El Paso, TX 79914, EE. UU. de A.

www.casabautista.org

A menos que se indique otra cosa, todas las citas bíblicas han sido tomadas de la Santa Biblia, Versión Reina-Valera Actualizada, © Copyright 1989, Editorial Mundo Hispano.

Ediciones: 1995, 1996, 1997, 1999, 2000, 2001
Séptima edición: 2004

Clasificación Decimal Dewey: 862.008

Temas: 1. Dramas - colecciones
2. Días festivos - Dramas

ISBN: 0-311-07014-0
C.B.P. Art. No. 07014

2 M 4 04

Impreso en Colombia
Printed in Colombia

INDICE

PREFACIO

La Casa Bautista de Publicaciones está interesada en publicar cada vez más materiales originales en castellano. Además, desea descubrir, motivar y apoyar al escritor cristiano hispano, dándole oportunidades para que desarrolle su talento literario. Con este fin, la CBP patrocinó y promovió en el mes de febrero de 1991 el II Concurso Literario de Materiales Dramáticos para jóvenes y adultos.

Como respuesta a esta segunda convocatoria, 23 escritores representando a México, EE. UU. de A., España, Alemania, Costa Rica, Argentina, Chile, Venezuela y Colombia respondieron con un total de 46 dramas. Las categorías de los dramas fueron: Semana Santa, Familia y Navidad.

El jurado calificador constituido por cinco personas conocedoras del tema y ajenas a la CBP, seleccionó los dramas por categorías y estos quedaron de la siguiente manera:

SEMANA SANTA

Primer Puesto

DIA DE VICTORIA
Irma Chávez
EE. UU. de A.

Segundo Puesto

PEOR QUE UN MONOLOGO
M. Cristina K. de Sokoluk
Argentina

Tercer Puesto

EL OCUPO MI LUGAR
Alejandro A. Varela Partida
México

Cuarto Puesto

JOYAS DEL APOSENTO ALTO
Eddie Valencia Angel
Chile

FAMILIA

Primer Puesto

LA VISITA
M. Cristina K. de Sokoluk
Argentina

Segundo Puesto

AMARGA EXPERIENCIA
Samuel Stamateas
Argentina

Tercer Puesto

EL HOGAR DE LA
VIUDA POBRE
José D. Guevara Muñoz
Costa Rica

Cuarto Puesto

INSTRUYE AL NIÑO
EN SU CAMINO
María A. Ros Moreno
España

NAVIDAD

Primer Puesto

EMANUEL
Silvia Emilse Salomón
Argentina

Segundo Puesto

VINO EL SALVADOR
Charlene y Susan Ray
EE. UU. de A.

Tercer Puesto

LA NOTICIA SIN IGUAL
Dora A. Minjares de García
México

Cuarto Puesto

UNA NUEVA ESTRELLA
Joel Alfaro Valle
México

DIA DE VICTORIA

Irma Chávez

NOTAS DE LA PRIMERA ESCENA:

(Mateo 28:1-8; Marcos 16:18; Lucas 23:55, 56; 24:1-12; Juan 20:1-18.)

PERSONAJES:

Mamá.
Abuelita.
Aída, hija de 17 años.
Betito, hijo de 8 años.
Alberto, joven de 17 a 24 años.
Margarita, una joven de 17 a 24 años.
Narrador.

VESTUARIO:

La mamá, la abuela (no muy anciana) y el niño visten como cualquier persona de su edad. La hija de 17 años usa un vestido muy moderno. Alberto y Margarita visten de forma conservadora.

ESCENARIO:

La pequeña sala de estar de una casa: Sillones, mesa de centro y en la pared imágenes de santos con veladoras encendidas. Una grabadora con un casete de música moderna, que se escuchará desde dentro de una recámara. Una pelota para que el niño de 8 años juegue con ella. Dos rosarios, para que la mamá y la abuela los tengan en la mano simulando rezar.

7

NOTAS DE LA SEGUNDA ESCENA:

(Resurrección de Jesús, Juan 20:1-18.)

PERSONAJES:

María Magdalena, de 25 a 33 años de edad.
María, la madre de Jacobo, de 40 a 55 años de edad.
Salomé, la madre de Santiago y Juan de unos 40 a 55 años de edad.
Cuatro mujeres, de 25 a 45 años de edad.
Pedro, el apóstol.
Juan, el apóstol.
Dos soldados.
Un ángel.

VESTUARIO:
De las mujeres:
Según la usanza de la época, cada mujer llevará una túnica de un solo color, larga y con mangas anchas. En la cintura llevará una cinta ancha del mismo color que el manto que llevará en la cabeza. El manto y la cinta serán de color diferente al de la túnica. Calzarán sandalias.

De los varones:
DE SIMON, PEDRO Y JUAN.
Llevarán una túnica al igual que las mujeres, agregando un manto abierto de los dos lados con una cinta en la cintura, y sobre la cabeza llevarán un lienzo que se sostendrá con una cinta del color de la cinta de la túnica. Y como calzado llevarán sandalias.

Del ángel
Igual que los varones, pero de color blanco.

De los guardias:
Los guardias se vestirán con túnicas rojas hasta más arriba de la rodillas y sin mangas. Llevarán un cinto color dorado o de cuero, y una capa roja hasta las corvas que se sujetará en el frente. En las piernas, de la rodilla hacia abajo llevarán unas

cintas de color café o de cuero simulando unas sandalias.
Sobre la cabeza llevarán un casco dorado con plumas rojas o
marrón (*las plumas son optativas*). Un escudo dorado. (*Se
puede hacer de cartón y luego pintarse de color dorado al igual
que el casco.*) Una espada sujeta a la cintura. (*Esta también se
puede hacer de cartón.*)

ESCENOGRAFIA:

El exterior de la tumba de Jesús. Puede simularse con
cartón piedra, o pintar la escenografía representando unas
rocas, cielo, algunas nubes, y si se quiere algún árbol. Se necesitarán dos reflectores para representar el amanecer. Uno
puede ser claro o amarillo y el otro de color azul. El foco de
color claro o amarillo se utilizará para iluminar al ángel, y el
foco azul para iluminar el escenario, simulando que es de
noche. Se necesitarán dos lienzos de color blanco para representar los lienzos de Jesús. Y por último se necesitarán varios
frascos de diferentes tamaños para que las mujeres los lleven
en las manos en la escena de la resurrección.

ESCENA I

(La familia Fernández)

NARRADOR (*Leerá con voz clara y precisa*): En el hogar de la
familia Fernández hay tristeza, desesperación y miedo al
saber que su hijo Francisco se encuentra lejos de su hogar,
en el otro lado del mundo, en Asia, donde ocurre una gran
guerra. El joven se encuentra en una misión que el ejército
de su país le ha encomendado. El joven Francisco está
cumpliendo como aviador con su deber, luchando contra
los enemigos.

(*En ese momento se ven en la sala la madre y la abuela
sentadas en el sofá, rezando en voz muy baja para que se pueda escuchar al narrador.*)

NARRADOR: La madre de Francisco y su abuela rezan a la virgen de Guadalupe para que cuide de Francisco. (*Después se encenderá la grabadora con una música moderna, suponiendo que el sonido sale desde una recámara mientras se habla de Aída.*)

NARRADOR: Aída, la hermana de Francisco, escucha música para distraerse y olvidar momentáneamente la preocupación que siente por su hermano. (*Enseguida entra Betito jugando con una pelota, pasa por la sala donde su madre y su abuela rezan y luego sale del escenario.*)

NARRADOR: Por su parte Betito, el hermano menor de Francisco, juega con la pelota que el mismo Francisco le regaló una semana antes de irse al Golfo Pérsico. Betito, por su edad no entiende mucho de la guerra sólo lo que escucha por las noticias en la televisión y por la radio, por lo tanto le causan tristeza y se pone un poco nervioso.

NARRADOR: Hace un mes que Aída, la hermana de Francisco, conoció a Alberto. Alberto es un joven cristiano muy activo en una iglesia cristiana cerca de la casa de ella. Aída fue invitada a una reunión de la iglesia por una amiga de la escuela donde ella estudia. Alberto es el director de música y tiene a su cargo el departamento de jóvenes. Un día decidió ir a visitar a la familia de Aída junto con Margarita, una señorita de la iglesia, que tiene a su cargo la enseñanza de los niños.

(*Las dos mujeres empiezan a rezar el rosario en voz alta. La mamá mientras reza está a punto de llorar.*)

MAMA. —Mamá, hoy hace dos semanas que nuestro Francisco se fue. (*Ella llora.*)

ABUELITA. (*Suspirando se acerca a la hija y la abraza.*) —Pero no tengas temor, vamos a rezar a la virgen de Guadalupe para que lo cuide.

MAMA. (*Con voz desesperada.*) Sí, pero no sabes cómo lo necesito, lo quiero aquí, conmigo.

ABUELITA. —Hija mía, ya no llores. Mira que te van a ver llorar Aída y Betito y se pondrán muy preocupados.

MAMA. —Si tan sólo viviera Humberto no me sentiría tan sola.

ABUELITA. —Pero ya vez, él y su borrachera. Hasta que se mató en ese terrible accidente.

(Se escucha la música desde la recámara.)

ABUELITA. —Hija sécate las lágrimas, que nuestros hijos te pueden ver preocupada y ellos también van a sufrir como nosotras.

MAMA. —Sí mamá, tienes razón.

(Entra Betito jugando con su pelota y enseguida entra Aída tarareando una canción.)

AIDA. —¡Ay, señoras! ¿Otra vez llorando?

BETITO. —Mamá dice que Francisco va a regresar pronto, ¿verdad mamá?

MAMA. —Sí, hijito.

AIDA. —Sí, no se preocupen por Francisco él está bien, pronto regresará.

(En esos momentos se escuchan unos golpes en la puerta y todos se ponen serios y miran hacia la puerta.)

MAMA. *(Dirigiéndose hacia Aída dice.)* —Hija, ve a abrir la puerta.

AIDA. *(Mientras camina hacia la puerta dice.)* —Ha de ser mi tía Laura que viene a visitarnos.

(Aída hace un gesto de asombro al ver quien está en la puerta.)

AIDA. —¡Hola, Alberto! ¿Cómo estás? Pasa, siéntate.

ALBERTO. —¿Estoy muy bien? Y tú, ¿cómo estás? Mira, te presento a Margarita. Ella es maestra de niños en el templo donde nos conocimos. ¿Te acuerdas de ella?

AIDA. (*Aída le estrecha la mano para saludarla y le dice:*) —Mucho gusto Margarita. Sí, la recuerdo, si no me equivoco usted puso algunos juegos en el salón grande, ¿verdad?

MARGARITA. —Tienes muy buena memoria Aída, así es.

AIDA. —Miren, les presento a mi abuelita, a mi mamá y a mi hermanito Betito, quien es muy travieso y juguetón y siempre nos hace reír.

ALBERTO Y MARGARITA. —Mucho gusto señoras, mucho gusto Betito. (*Todos se saludan dándose la mano y después se sientan.*)

ALBERTO. (*Dirigiéndose a las señoras.*) —Aída me contó que llevaron a Francisco a la guerra en Asia.

MAMA. —Sí, joven, hace dos semanas.

ABUELITA. —Mejor vamos a cambiar de tema porque mi hija está muy preocupada por él. Precisamente hace un ratito estábamos rezando a la virgen de Guadalupe para que nos lo proteja.

ALBERTO. —¿Han oído acerca de Jesús, el Hombre que vivió aquí en la tierra hace casi dos mil años, y que hizo muchos milagros y enseñaba acerca del reino de Dios?

MARGARITA. —Ese hombre llamado Jesús es el hijo de Dios, y fue crucificado por los pecados de todo el mundo, y particularmente por los pecados de ustedes y por los míos, para darnos la vida eterna.

MAMA. —Sí, sí hemos escuchado de él. Que los judíos lo escupían, y que le pusieron una corona de espinas.

ABUELITA. —Por eso nosotros lo tenemos en una cruz en la sala y le rezamos a la virgen y a él para que cuiden a Francisco, que se encuentra lejos de nosotros.

ALBERTO. —¿Quieren escuchar una historia acerca de Jesús?

AIDA Y BETITO. *(Al unísono y con mucho entusiasmo.)* —Sí, nos encantaría.

ALBERTO. —Escuchen... la historia que les voy a contar se encuentra en la Biblia, precisamente en los Evangelios. *(Se cierra el telón.)*

ESCENA II

(La resurrección de Jesús)
(Juan 20:1-18; Marcos 16:1-11)

(La escena está iluminada con el reflector azul. Los guardias están parados uno a cada lado de la tumba, cuidando que nadie se acerque. Las mujeres irán pasando en dos grupos, uno por cada lado del templo. Irán hacia el escenario mientras el narrador lee en voz alta. Conforme vayan escuchando su nombre, pasarán hacia adelante. Cada grupo se parará separado uno del otro, sin pararse enfrente de la tumba.)

NARRADOR: Cuando pasó el día de reposo, siendo aún obscuro, vinieron María Magdalena, María la madre de Jacobo, Salomé y otras mujeres que las acompañaban. Habían comprado especias aromáticas para ir y ungir el cuerpo de Jesús. *(En ese momento se encenderá gradualmente el reflector amarillo para simular que está amaneciendo.)*

GRUPO 1. *(En este grupo de mujeres van María Magdalena, María la madre de Jacobo y dos mujeres más.)*

MARIA MAGDALENA. —Ya casi está amaneciendo.

MARIA MADRE DE JACOBO. —Sí, ya se alcanza a ver el sol.

MARIA MAGDALENA. —Ya tenemos mucho caminando y me siento cansada.

MARIA MADRE DE JACOBO. —Nosotras también nos sentimos cansadas, pero pronto llegaremos y descansaremos un rato.

LAS OTRAS MUJERES DEL MISMO GRUPO. *(Al unísono.)* —Sí, apurémonos.

GRUPO 2. *(En este grupo va Salomé con otras dos mujeres.)*

SALOME. —Ya casi llegamos y allí nos encontraremos con María Magdalena y con María la madre de Jacobo, ellas también vendrán a ungir al Maestro.

MARIA MAGDALENA. —Miren, allí viene Salomé con las demás discípulas, vamos con ellas.

(Los dos grupos se encuentran al lado de la tumba, se saludan con reverencia y se dan un beso.)

MARIA MAGDALENA. —Trajimos todo lo necesario para ungir al Maestro, pero venimos muy tristes porque vimos a los discípulos muy desalentados.

SALOME. —Sí, nosotras también los vimos muy tristes ayer, día de reposo; casi nadie quiso comer en todo el día y se la pasaron llorando por la muerte del Maestro.

MARIA MADRE DE JACOBO. —Ya no sabemos que hacer, ya muchos se han ido de aquí a otros lugares a esconderse, porque dicen que si encuentran a los discípulos que andaban con Jesús de Nazaret los van a encarcelar y hasta a matar.

CUALQUIER MUJER DEL GRUPO. —Si tan solo viviera nuestro Maestro no estaría pasando todo esto.

(Las mujeres se quedan platicando en voz baja, mientras el narrador narra lo que pasa al otro lado de la tumba.)

NARRADOR: En ese momento hubo un gran terremoto porque un ángel del Señor descendió del cielo. Y llegó y removió la piedra y se sentó sobre ella. *(Se iluminará al ángel con la luz blanca.)* Su aspecto era como un relámpago y su vestido blanco como la nieve. Y de miedo los guardias temblaron y se quedaron como muertos. *(Los guardias se caen al suelo asustados, y el ángel remueve la piedra, la pone a un lado y se sienta sobre ella; entonces cuando ha pasado un momento, se apagará la luz que ilumina al ángel y no se ve más. Las mujeres se acercan a la tumba. María Magdalena, pregunta mientras se acercan.)*

MARIA MAGDALENA. —¿Quién nos removerá la piedra?

NARRADOR: Pero cuando llegaron vieron quitada la piedra, que era muy grande. Y entrando, no encontraron el cuerpo del Señor Jesús. *(María Magdalena corre para avisar a Simón Pedro y a los otros discípulos.)* Aconteció que estando ellas perplejas por esto, he aquí se paro junto a ellas el ángel con vestiduras resplandecientes. *(Se acerca el ángel y platica con ellas.)* Y como tuvieron temor, bajaron el rostro a tierra. *(Las mujeres se inclinan al suelo cubriéndose la cabeza.)*

ANGEL: —¿Por qué buscáis entre los muertos al que vive? No está aquí, sino que ha resucitado. Acordaos de lo que os habló, cuando aún estaba en Galilea, diciendo: ES NECESARIO QUE EL HIJO DEL HOMBRE SEA ENTREGADO EN MANOS DE HOMBRES PECADORES, Y QUE SEA CRUCIFICADO, Y RESUCITE AL TERCER DIA.

NARRADOR: Entonces ellas se acordaron de sus palabras. *(Ellas se levantan del suelo y salen del escenario apresuradamente.)* Y volviendo del sepulcro, dieron nuevas de todas estas cosas a los once, y a todos los demás. *(Se apaga la luz que está iluminando al ángel.)* Mientras tanto en la casa de Pedro, María Magdalena le avisa a Simón Pedro y al otro discípulo, al que amaba Jesús, y les dijo: Se han llevado del sepulcro al Señor y no sabemos dónde le han puesto. Y salieron Pedro y el otro discípulo, y fueron al sepulcro. Corrían los dos juntos; pero el otro discípulo corrió más aprisa que Pedro, y llegó primero al sepulcro. *(Entra corriendo Juan, el joven discípulo.)* Pero se quedó parado mirando hacia adentro; vio los lienzos puestos allí pero no entró. *(Entra corriendo Pedro por atrás de la sala.)* Luego llegó Simón Pedro tras él, y entró en el sepulcro, y vio los lienzos puestos allí, y el sudario, que había estado sobre la cabeza de Jesús, no puesto con los lienzos, sino enrollado en un lugar aparte. *(Entra Juan a la tumba donde está Pedro.)* Entonces también entró el otro discípulo, que había venido primero al sepulcro; y vio, y creyó. PORQUE AUN NO HABIA ENTENDIDO LA ESCRITURA, QUE ERA NECESARIO QUE EL RESUCITASE DE LOS MUERTOS. Y volvieron los discípulos a los suyos. *(Se cierra el telón.)*

ESCENA III

(La familia Fernández)

(Nuevamente todos sentados escuchando la historia que está leyendo Alberto.)

BETITO. —¡Qué bonita historia!

AIDA. —Sí, muy hermosa. Nunca antes la había escuchado.

ALBERTO. *(Dirigiéndose a las dos señoras.)* —¿Y a ustedes, les gustó?

ABUELITA. —Sí, me encantó. Lo que pasa es que yo me imaginaba a Jesús crucificado, muerto. Por eso es que me quedé tan seria.

MAMA. —Sí, yo también pensé siempre que se encontraba en una cruz.

MARGARITA. —Pues ya ven que no es así. ¡Jesús venció la muerte, y ahora vive!

ALBERTO. —Sí, y vive en el corazón de cada persona que lo obedece y lo acepta como su salvador personal.

AIDA. —¿Y qué hago para poder obedecerlo y aceptarlo?

ALBERTO. —Es muy sencillo Aída, si tú quieres obedecerle y aceptarle, solo necesitas reconocer que has pecado y necesitas pedirle al Señor Jesús que entre en tu corazón para que él viva en ti y él pueda dirigir tu vida.

MAMA. —Pero nosotras siempre hemos rezado. ¿Qué no es lo mismo?

MARGARITA. —No, rezar es repetir una letanía varias veces, algo que ya está escrito por alguna persona. En cambio, orar es hablar directamente con Dios, sin necesidad de recurrir a nadie para que intervenga por nosotros, es expresar todo lo que uno siente y quiere.

AIDA. —Yo quiero recibir a Cristo como mi Salvador personal, y quiero que me perdone por haberle desobedecido todo este tiempo que no le conocía, quiero ser su hija y que él sea el que dirija mi vida de ahora en adelante. *(Alberto se pone de pie junto con los demás personajes y mirando hacia la congregación, les pide que se pongan de pie para orar. Invita a todos aquellos que quieran aceptar a Jesús en su corazón que repitan la oración en silencio.)*

ALBERTO. —Señor, Jesús, perdóname por haberte desobedecido. Hoy que me doy cuenta de que TU estás vivo, quiero que perdones todos mis pecados. Y quiero que entres a mi corazón y que tú seas quien dirija mi vida de hoy en adelante. Gracias porque hoy me has iluminado y porque te he conocido. Amén.

(Después a todas las personas que hicieron esta oración a Jesús se les pedirá que pasen adelante para conocerlas y para tomar sus datos.)

PEOR QUE UN MONOLOGO

María Cristina K. de Sokoluk

Drama unipersonal para adultos adaptable a Semana Santa
(Apto para la difusión radial evangelística)

PERSONAJES:

El padre.
Voz del hijo (fuera de escena).
Voz femenina (fuera de escena).

ACTO UNICO

(El escenario está a oscuras. La luz se encenderá y apagará para separar las distintas "llamadas" por teléfono. El mobiliario lo componen la silla, o sillón donde el padre se sienta, la mesa que tiene delante en posición oblicua respecto del público, un teléfono, un reloj, una agenda y otros posibles objetos de oficina. El efecto de la obra no se desprenderá de la acción sino de la modulación de la voz del único actor, quien debe conducir a los oyentes desde la más despreocupada actitud hasta el mayor dramatismo posible.)

LLAMADA 1

PADRE. *(Se enciende la luz. Mientras marca un número telefónico habla consigo mismo.)* —Le daré una gran sorpresa a Renato. *(Pausa. Se oye el timbrar lejano de un teléfono.)* ¿Estará despierto ya? *(Consulta su reloj.)* Son las siete de la mañana. ¡Pobre hijo! Necesita el descanso, pero si dejo pasar este momento tal vez salga hacia su trabajo, o a estudiar con algún compañero. *(El sonido del timbre del teléfono se interrumpe.)* ¿Hola? *(Elevando la voz.)* ¡Hola! ¡Renato! ¡Habla papá!... ¿Hola? ¿Renato? ¿Me oyes?

VOZ. —No, no se oye bien.

PADRE. —Escucha. Corta que intentaré marcar el número de nuevo. *(Cuelga el teléfono y marca otra vez. Suena el timbre del teléfono pero se interrumpe enseguida. Cuelga el teléfono con resignación.)* Mañana miércoles quizá sea un día más apropiado. Eso espero... *(Se apagan las luces.)*

LLAMADA II
(Se enciende la luz)

PADRE. —Ayer no pude comunicarme con Renato. *(Coge el auricular.)* ¿Habrá reconocido mi voz? ¡Sí! Más que seguro... *(Comienza a marcar el número y continúa pensando en voz alta.)* ¿Estará pensando que voy a llamarlo de nuevo hoy? ¿Qué hora es? *(Mira su reloj.)* Las nueve, un poco más tarde que ayer. Mejor, así no lo despierto bruscamente. A veces se queda estudiando hasta altas horas de la noche. Hace cualquier sacrificio con tal de graduarse pronto. *(El timbre del teléfono suena a lo lejos varias veces.)* Pero no... no contesta. Puede ser que su teléfono no funcione bien. ¿O lo habrá desconectado? ¡Lleva una vida tan agitada! Como todo estudiante. ¡Cuánto lo siento! *(Sostiene aún el auricular en la mano y lo mira.)* Intentaré otra vez mañana. ¡Deseo tanto oír su voz! Mañana será. Sí, mañana... *(Se apagan las luces.)*

LLAMADA III
(Se enciende la luz)

PADRE. —Me parece que hace una eternidad que no hablo con Renato. Uno manda a los hijos a la universidad, y parece que a ellos se les olvida que nadie puede enseñarles mejor que un padre que los ama. *(Marca el número mientras sigue hablando consigo mismo.)* Hoy es jueves y son las 11 de la mañana. *(Mientras mira su reloj, suena a distancia el timbre del teléfono.)* El teléfono de Renato está sonando. ¡Por fin!

VOZ. *(Se oye una voz femenina como proviniendo de un contestador automático.)* —El señor Renato se encuentra momentáneamente ausente. Tenga la amabilidad de grabar su mensaje después de la señal. *(Se escucha la señal. El padre carraspea.)*

PADRE. —Hijo querido, habla tu papá. *(Tose.)* ¡Añoraba tanto oír tu voz! Y también quería hacerte unas preguntas... pero me resigno a dejarte un mensaje. Aprovecho la oportunidad para alentarte. Te falta muy poco para terminar tu carrera. ¡Animo, muchacho! No te desalientes. Unos exámenes más, un último esfuerzo y gol... ¡Gol de Renato! Llamaré mañana a mediodía para poder conversar contigo personalmente. No te imaginas cómo te extraño. Por ahora, adiós. *(Cuelga el receptor. Se apagan las luces.)*

LLAMADA IV
(Se enciende la luz)

PADRE. *(Consulta el reloj y echa un vistazo al calendario. Marca el número y mientras suena el timbre del teléfono continúa su monólogo.)* —Ya es viernes, viernes de la llamada Semana Santa; pero a pesar de todo mi Renato no suspende sus actividades. Con seguridad estará ocupado como siempre. ¡Pero yo necesito hablar con él! ¡Con él, no con un contestador automático! Son las 12:30 p.m., seguramente lo encontraré en su apartamento, porque para el almuerzo ha sido siempre muy puntual... *(Se ríe animadamente, mientras marca el número.)*

(Se escucha el timbre del teléfono sonando a distancia. Luego se escuchará la voz del hijo que provendrá de fuera de escena.)

HIJO. —¿Sí? ¿Quién habla?

PADRE. —¡¡Renato!!

HIJO. —Hable más fuerte. ¿Quién llama?

PADRE. —¿No me reconoces? Habla tu papá, Renato. ¿Recibiste mi mensaje? Ayer lo dejé grabado en tu contestador automático.

HIJO. —Ah, no; me fue imposible. No tuve tiempo. Iba a escuchar todos los mensajes hoy por la noche.

PADRE. —¿Cómo estás Renato?

HIJO. —Ocupadísimo, pero sin detenerme. Todo va viento a favor... Me vino fenómeno el último cheque que me enviaste como regalo de Semana Santa. Pensaba llamarte para decirte lo que quiero para la llegada a casa, el día de Pascua. ¿Estás escuchándome papá?

PADRE. —Si, sí. Soy todo oídos.

HIJO. —Papá, quiero que comiences a prepararme la fiesta, algo así como una recepción de mis camaradas, ¿me entiendes?

PADRE. —Si hijo, te comprendo perfectamente.

HIJO. —Quiero que haya música, pero de la que nos gusta a los jóvenes, ¿eh? Por ejemplo, la orquesta juvenil del pueblo y la chica que canta los temas de moda. Contrátalos para unos números en vivo. ¿Me entiendes?

PADRE. *(Apuntando las peticiones del hijo en un papel.)* —¡Ajá! Sí, ya veo lo que te agrada.

HIJO. —Prosigo entonces. Escucha... me gustaría que mis amigos me esperen en el aeropuerto a mi llegada. Podrían venir en una caravana de autos y motos, y una comitiva podría entregarme un pergamino firmado por las autoridades del pueblo. No sé si estás captando mi idea...

PADRE. —Perfectamente. Ya tomé nota de todo. Ahora déjame decirte algo...

HIJO. —Un momento, que aún no he terminado. Quiero que prepares un estandarte que se vea de lejos, o mejor una pancarta con mi nombre.

PADRE. —¿Con tu nombre y con tu título?

HIJO. —Eso es. La idea es esa. Pero rápido viejito porque todo debe estar listo para Pascua.

PADRE. —Listo. Ya entendí todito hijo. Ahora deja que tu papá te diga unas pocas palabras por si no logro comunicarme contigo otra vez.

HIJO. —¡Ay, padre! No nos pongamos sentimentales. ¿Te olvidas que en esta región hay una hora de diferencia? Eso quiere decir que se me está yendo la mañana charlando, y yo debo comenzar a cumplir con los compromisos de la tarde. Todavía tengo en la boca la última migaja del almuerzo. Perdóname pero debo cortar. Ya me dijiste que tú siempre me comprendes. Yo les digo a todos que tú eres un padre grandioso, estupendo, genial.

PADRE. *(Con un dejo de ironía.)* —Gracias por los buenos conceptos de mi persona.

HIJO. —Entonces será hasta otro momento, ¿sí? Adiós, papacito buenito. *(Corte brusco de teléfono.)*

PADRE. *(Con el auricular aún en la mano.)* —Siento que, a pesar de tus palabras, todavía no nos hemos conocido bien hijo. *(Se apagan las luces.)*

(En la oscuridad, continúa hablando el padre.)

PADRE. —Hasta aquí cumplí con cuidar de tu bienestar mientras tú estuvieras allá lejos. Te prometí mi herencia para cuando volvieras con tu diploma; pero te has olvidado de una cosa, hijo. Mantenerte en comunicación conmigo. ¡He esperado tu llamada día tras día!

LLAMADA V

(Se oye el timbrar distante del teléfono y el mismo mensaje grabado de la llamada III. Ahora la voz del padre suena más recia. Se encienden las luces.)

PADRE. —Renato, habla tu Padre. Quiero avisarte que todo está dispuesto para tu regreso, siendo que hoy ya es Sábado de Gloria. El vuelo está reservado para medianoche. El transporte de la compañía te pasará a buscar. El pasaje del avión ya está pagado. Recuerda que debes identificarte con mi apellido y el permiso firmado que tienes en tu poder. Te ama, tu padre. *(Se apagan las luces.)*

LLAMADA VI

(Se encienden las luces. Se ve al padre consultando una agenda telefónica. Después de encontrar lo que buscaba comienza a marcar un nuevo número, mientras dice.)

PADRE. —Quién sabe si Renato habrá escuchado los mensajes que le dejé grabados. Si no lo ha hecho perderá el vuelo y no podremos festejar juntos la Pascua. Llamaré al templo, ya que hoy es día y hora de reunión para la iglesia. Seguro que ahora podré hablar personalmente con él. *(Suena el timbre del teléfono y una voz femenina, fuera de escena, responde.)*

VOZ. —Iglesia de Cristo. ¡Hable!

PADRE. —Señorita, necesito hablar con mi hijo Renato, por favor comuníqueme con él, es urgente.

VOZ. —Un momentito por favor. *(Breve pausa.)* Lo siento Señor, me acaban de informar que Renato no se encuentra aquí hoy.

PADRE. —Oh... comprendo. Hoy no asistió al templo.

VOZ. —¿Desea dejarle un mensaje?

PADRE. —Si usted lo ve, por favor dígale que me llame cuanto antes.

VOZ. —¿Me podría dejar su nombre y su número telefónico?

PADRE. —Renato lo sabe, señorita. Dígale que es con su Padre celestial que debe comunicarse sin falta.

VOZ. —Haré lo que esté a mi alcance, Señor. Seguramente mañana vendrá a la celebración de la Pascua de Resurrección...

PADRE. —Y será demasiado tarde. Dése prisa, señorita. Muchas gracias. *(Se apagan las luces.)*

LLAMADA VII

(Se encienden las luces. El padre habla con lentitud y tono solemne.)

PADRE: —Hijo, te he hablado cada día de la semana, y ni siquiera en esta llamada "Semana Santa" has escuchado mi voz. Allí en tu tierra celebran hoy la resurrección de Jesucristo, el primogénito entre los muertos. Tú no podrás gozar de la fiesta esta vez. Ayer no estabas en el templo. No necesitas explicarme absolutamente nada. Saliste en auto con tus compañeros de estudios y tuvieron un fatal accidente. Aquí en casa te espero. Tus amigos no podrán acompañarte... ¿Y sabes? tampoco se celebrará la gran recepción que me pediste. Ocurre que tenemos mucho que hablar solos tú y yo... Y esta vez vas a tener tiempo de sobra para escucharme. *(Se apagan las luces lentamente.)*

EL OCUPO MI LUGAR

Alejandro A. Varela Partida

PERSONAJES:

Barrabás	Cleofas
Dimas	Simón
Gestas	Soldado romano 1
Nicodemo	Soldado romano 2
José de Arimatea	Jesús, el Señor
Jocabed	Poncio Pilato
Ana	Gente del pueblo que aparece en
Noemí	diversas escenas, como grupo
	o como individuos.

(La escena se representa en una calle de Jerusalén, es de noche y se encuentra apenas alumbrada por unas tenues luces. Aparecen en escena tres hombres de aspecto desaliñado; ellos son Barrabás, Dimas y Gestas, ladrones.)

GESTAS. —Creo que nos sobrepasamos al golpear a ese hombre; no era necesaria tanta violencia; no nos medimos.

DIMAS. —¡Vamos, hombre! ¿Va a resultar a estas alturas que tienes conciencia? ¡Bah! ¡No me hagas reír!

BARRABAS. *(Que no había hablado porque estaba ensimismado revisando un bulto lleno de monedas.)* —¡A callar! ¿Por qué hacen tanto escándalo por un pobre infeliz? No debió oponerse a entregarnos su oro; si lo golpeamos de semejante manera fue porque así lo pidió él.

GESTAS. —Pero con un golpe habría sido suficiente. No era necesario dejarlo ensangrentado y casi sin vida; hasta ahora no hemos asesinado a nadie.

BARRABAS. —¿Acaso ya se te olvidó, Gestas, que en el asalto de ayer le cortaste la mano al samaritano que se opuso a entregarte su anillo? ¡Eso sí es sobrepasarse! ¡Y en extremo!

GESTAS. *(Pensativo.)* —Tienen razón. Alguien debería enseñarles a estos ricos que no deben oponer resistencia al ser asaltados, sino cooperar.

TODOS. —¡Ja, ja, ja, ja, ja!

(Barrabás saca la bolsa y vacía las monedas y joyas en el suelo.)

BARRABAS. —¿Qué les parece? No estuvo tan mal esta vez; creo que al rico hebreo le dolerá más su dinero perdido que la misma golpiza, ¿no lo creen?

DIMAS. —¡Vamos! ¿Qué esperan? ¡Repartamos el botín!

(En ese momento se escuchan pasos y voces que se acercan a lo lejos. Dimas se levanta sobresaltado y saca un puñal de entre sus ropas.)

DIMAS. —¡Creo que nos han seguido! ¡Alguien se acerca!

(Gestas y Barrabás juntan desesperadamente el dinero y las joyas, y se levantan asustados.)

GESTAS. —¡Ocultemos el botín! *(Lo esconden rápidamente.)* *(Entran en escena el anciano Nicodemo y José de Arimatea, platicando entre sí, sin percatarse de la presencia de los tres ladrones.)*

DIMAS. *(Saliéndoles al encuentro.)* —¡Alto, ancianos! ¿Acaso nos estaban buscando? ¡Pues aquí estamos!

NICODEMO. *(Como reconociendo al ladrón.)* —Dimas, ¿eres tú?

DIMAS. *(Que los reconoce.)* —¡Oh, no! ¡Si son Nicodemo y José de Arimatea otra vez! ¿Acaso vienen a hablarnos de nuevo de las enseñanzas de ese nazareno que salió de la nada?

BARRABAS. —¡Ya dejen de molestarnos, ancianos! ¿Por qué tú mismo, siendo fariseo y principal entre los judíos, maestro de la ley, no te has unido a ese tal Jesús? ¿Acaso tienes miedo de que sea un engañador más, como yo estoy seguro de que lo es? ¿Qué se puede esperar de Nazaret?

JOSE DE ARIMATEA. —No se exalten muchachos, no los estábamos buscando a ustedes; los hemos encontrado por casualidad.

GESTAS. —¿Por casualidad, dices? Y... ¿de dónde vienen a esta hora tan avanzada de la noche? ¿0 es que ya se han convertido en ladrones como nosotros? ¿No es ya suficiente el dinero de las limosnas que esos tontos religiosos les entregan en las sinagogas? ¡Ja, ja, ja, ja!

NICODEMO. —No, hijo;... vengo precisamente de hablar con Jesús, el Maestro; ese nazareno al que tú llamas engañador; y me avergüenzo de haberlo hecho a escondidas; pero ya no será más así, pues él me ha enseñado cómo nacer de nuevo.

BARRABAS. —¿Nacer de nuevo? ¡Ja, ja, ja! ¡Vamos, anciano! ¿Te has vuelto loco? ¡Tú ya no puedes ni siquiera volver a la juventud! ¿Y piensas volver de nuevo al vientre de tu madre y nacer otra vez? ¡Ja, ja, ja, ja!

NICODEMO. —Pues ya lo he hecho gracias a Jesús. El me ha dado una nueva vida; he vuelto a nacer, pero a una nueva vida espiritual y a una vida eterna.

BARRABAS. *(Que se ha quedado asombrado.)* —¿Naciste a una vida eterna? ¿Quieres decir que ya no morirás jamás? ¿Vivirás para siempre?

GESTAS. *(Que interviene al ver a Barrabás extrañado y hasta interesado.)* —¿Estás loco, anciano decrépito? Nosotros ya somos inmortales, no necesitamos otra vida eterna. ¿No has oído de nuestra fama por toda Judea y Galilea, y hasta en Samaria? ¡No hay ladrones más famosos que nosotros! ¡Y eso es la vida eterna para nosotros!

JOSE DE ARIMATEA. —Ustedes también deberían buscar a Jesús, el Maestro; sólo él puede cambiar sus vidas y hacerlos nacer otra vez, dándoles la verdadera vida eterna en su nombre.

DIMAS. —¡Vamos, ancianos! ¡Lárguense de aquí antes de que me encienda en cólera! ¡Vamos, vamos, cuídense de cruzarse de nuevo en nuestro camino! (*Nicodemo y José de Arimatea salen empujados por Dimas y Gestas.*)

BARRABAS. (*Que se ha quedado pensativo por la plática*) —¿Nacer de nuevo? ¿Vida eterna? ¡Bah! ¡Tonterías! ¡Larguémonos de aquí!

(*Barrabás sale enojado. Dimas y Gestas se miran el uno al otro extrañados. Después de un momento salen detrás de Barrabás. Se cierra el telón.*)

ESCENA II

(*La escena se representa a plena luz del día, en Jerusalén. Aparecen en escena Jesús y algunos hombres que le escuchan hablar.*)

JESUS. —Yo me voy, y me buscaréis, pero en vuestro pecado moriréis; a donde yo voy vosotros no podéis venir.

JUDIO. (*Dirigiéndose a otro oyente.*) —¿Acaso se matará a sí mismo? Pues dice que a donde él va, nosotros no podemos ir.

JESUS. —Vosotros sois de abajo, yo soy de arriba, por eso dije que moriréis en vuestros pecados, porque si no creéis que YO SOY, en vuestros pecados moriréis.

(*Barrabás, Dimas y Gestas entran justo antes de que Jesús termine de decir estas palabras.*)

GESTAS. —Ahí está el tal Jesús, y por lo que ha dicho, creo que habla de nosotros.

DIMAS. —Seguramente que Nicodemo ya le ha hablado de nosotros. Pero, ¿quién se cree éste, que dice que creyendo en él no moriremos en nuestros pecados? ¿Se cree acaso Dios?

BARRABAS. (*Que ha escuchado lo que dijo Jesús.*) —Pues preguntémosle. (*Se acerca a Jesús y le pregunta con voz tosca.*) ¿Tú quién eres?

JESUS. —Lo que desde el principio os he dicho. Muchas cosas tengo que decir y juzgar de vosotros; pero el que me envió es verdadero; y yo, lo que he oído de él, esto hablo al mundo.

DIMAS. —¿De qué habla? No entiendo lo que dice este hombre.

JESUS. *(Poniéndose de pie y dirigiéndose a los tres ladrones.)* —Cuando veas levantado al Hijo del Hombre, entonces conoceréis que YO SOY, y que nada hago por mí mismo, sino que según me enseñó el Padre, así hablo.

BARRABAS. *(Que se ha intimidado con las palabras de Jesús.)* —Ya hemos oído bastante. ¡Vámonos de aquí!

JESUS. —Si vosotros permaneciereis en mí conoceréis la verdad, y la verdad os hará libres.

GESTAS. —¿Libres? ¡Ja! No somos esclavos ni prisioneros de nadie; ni siquiera el poderoso ejército romano ha podido echarnos en prisión, y ... ¿dices tú que seremos libres? ¡Bah! ¡Tonterías!

JESUS. —De cierto, de cierto os digo, que todo aquél que hace pecado, esclavo y prisionero es del pecado, así que si el Hijo os libertare, seréis verdaderamente libres.

BARRABAS. *(Se muestra muy confundido.)* —Será mejor irnos; no quiero seguir escuchando más palabrería. Seguramente que Nicodemo te ha dicho de nuestras fechorías y quieres sacarnos algo. Pero no te preocupes, nazareno, no necesitamos ni de ti ni de tu libertad.

(Los tres ladrones salen muy apurados y confundidos.)

JESUS. *(Se ha quedado entristecido mirándolos salir.)* —Pronto habremos de reunirnos de nuevo, muy pronto, y tendrán otra oportunidad.

(Se cierra el telón.)

ESCENA III

(La escena se representa en una casa humildemente amue-blada. Aparece en la escena Jocabed, una joven prima de Dimas, el ladrón.)

JOCABED. —¡Dios mío! ¿Hasta cuándo viviré en esta angustia? ¡Necesito saber qué ha sido de Dimas! Los soldados ya están detrás de él, al igual que de Gestas y Barrabás. ¡Barrabás, Barrabás! Ese hombre será la perdición de mi primo. ¿Cómo pudo Dimas hacer amistad con ese ladrón? No puedo comprenderlo aún. Ese hombre es el mismo Satanás.

(Alguien llama a la puerta Jocabed se atemoriza.)

JOCABED —¿Quién podrá ser? Espero que no sean de nuevo los soldados; ya han venido varias veces preguntando por Dimas. *(Abre la puerta y entran Elisabet y Ana, dos mujeres de edad madura, que cierran la puerta detrás de sí.)*

ANA. —¡Jocabed! ¡Gracias al cielo que te encuentras bien! Pensamos que tal vez los soldados romanos te habrían llevado presa.

JOCABED. —¿Presa? ¿Pero, por qué? ¡No he hecho nada malo!

ELISABET. —No es por ti, Jocabed, sino por el alboroto que han despertado Barrabás, Dimas y Gestas en toda Jerusalén.

ANA. —Han cometido muchos asaltos y Poncio Pilato ha ordenado que sean llevados ante él como sea; y pensamos que tal vez querrían utilizarte a ti para sus propósitos.

JOCABED. —Pues hasta ahora no han venido por mí.

ELISABET. —Creo que lo mejor será que vengas conmigo a mi casa, ahí estarás más segura.

JOCABED. —Ahora no puedo, pues he escuchado que el Maestro Jesús vendrá a Jerusalén a pasar la pascua, y quiero ir a recibirle cuando entre en la ciudad.

ANA. —Pero... ¿vendrá el Señor a Jerusalén? ¿No sabe que los fariseos y los principales sacerdotes han ordenado prenderle? ¡Dios lo libre de venir a Jerusalén ahora!

JOCABED. —El Maestro nos ha enseñado que el temor no debe dominar a las personas, tal parece que él viene precisamente a entregarse a los fariseos.

ELISABET —Pero... ¡Podrían matarlo esos fariseos! ¡Son capaces de todo con tal de terminar de una vez con Jesús y con todos los que nos hemos convertido en sus discípulos!

(En esos momentos se ven interrumpidas por los tres ladrones que entran precipitadamente empujando a una joven mujer con ellos.)

ANA. —Pero, ¿qué le han hecho a esta pobre niña? —¡Noemí! ¿Te encuentras bien? ¿Qué ha sucedido?

NOEMI. —Me han obligado a protegerlos para poder llegar hasta aquí.

DIMAS. —Jocabed, necesitamos provisiones, pronto, prepáranos algo, que partimos inmediatamente.

JOCABED. —¡Dimas! ¿Cómo te has atrevido a maltratar a Noemí?

BARRABAS. *(Empujando a Jocabed con brusquedad.)* —¡A callar! ¡Y date prisa con las provisiones mujer, que no tenemos todo el día!

DIMAS. —¡Barrabás, ten cuidado de no gritarle a mi prima!

GESTAS. —¡Calma, por favor! Tenemos poco tiempo, recuerden que tenemos que organizar la revuelta aprovechando el alboroto provocado por la entrada "triunfal" del nazareno Jesús, llamado "El Mesías", a Jerusalén.

JOCABED. —¿Ha entrado ya a la ciudad el Maestro?

BARRABAS. —Sí, tu "Maestro" entró montado en un asno ¡Ja, ja, ja! Valiente "Mesías" tenemos, que ni siquiera llega montado en un brioso caballo blanco seguido por un gran ejército. No viene sino con doce mediocres discípulos que le siguen por todos lados. ¿Y así piensa libertarnos del yugo romano? Yo seré el libertador de Israel, ya lo verán.

ELISABET. —Si ustedes le escucharan hablar y enseñar seguramente que ahora estarían siguiéndole también.

GESTAS. —¡Basta ya! ¡Larguémonos de aquí o ese Cleofas se nos escapará de las manos!

JOCABED. —Dimas, ¿qué piensan hacer ahora? ¿Otro robo?

DIMAS. —No te preocupes, Jocabed, es mejor que no sepas nada, por tu propio bien.

BARRABAS. —¿Otro robo? ¡Ja, ja, ja! Esta vez vamos a realizar algo más grandioso que nos dará la ansiada vida eterna.

NOEMI. —¡No blasfemes, Barrabás! Sólo Jesús puede darte la vida eterna como a nosotras.

BARRABAS. —¿También a ustedes las ha engañado ese burlador? Lo único que le admiro a ese tal Jesús es el valor de volver a la ciudad sabiendo que los fariseos y sacerdotes piensan prenderle, y no sólo eso, sino que entra en pleno día y con un gran alboroto.

GESTAS. —Dejémonos de tanta palabrería y vayamos a por Cleofas.

BARRABAS. —Tienes razón Gestas, vamos a por ese infeliz. *(Salen.)*

DIMAS. *(Dirigiéndose a Noemí.)* —Perdona Noemí, no ha sido mi intención lastimarte. Jocabed, me voy. Cuídate.

JOCABED. —No vayas, Dimas; tengo un mal presentimiento. Mejor ven con nosotras a buscar a Jesús, él te puede ayudar y te puede dar la salvación y el perdón de todos tus pecados.

DIMAS. —¿Perdonar mis pecados? ¡Imposible! Son tantos que ni Jehovah podría perdonarme.

ANA. —Dimas, Jesús es el Hijo de Dios; lo ha demostrado; él

tiene poder para salvarte y perdonarte.

DIMAS. —Lo siento, se me hace tarde, debo reunirme con Barrabás y con Gestas. Adiós. (*Sale.*)

NOEMI. —Me temo que sucederá algo grave; esos hombres no llevan buenas intenciones. Se que ese tal Cleofas, al que van a buscar, fue quien los delató ante Poncio Pilato, diciendo que ellos tres organizaron la sedición en contra del imperio romano.

JOCABED. —Temo más por Dimas, él no es malo, en el fondo es noble, sólo que está mal encaminado. Ese Barrabás es el demonio mismo. Ni un milagro lo haría cambiar a él.

ELISABET. —Recuerda Jocabed que ahora conocemos a alguien que puede hacer milagros, y que no hay imposibles para él. Vayamos a buscar a Jesús y pidámosle consejo.

NOEMI. —Sí, vamos a buscarlo, necesito ver a Jesús, pues también presiento que algo malo le sucederá al Maestro y quiero estar a su lado.

ANA. —Calla, jovencita. Mejor salgamos de una vez y dejemos de hablar de cosas negativas.

JOCABED. —Antes reunámonos con las demás mujeres, y Marta y María que ahora deben estar en su casa.

(*Salen las cuatro mujeres comentando entre sí. Se cierra el telón.*)

ESCENA IV

(*La escena se representa en una calle solitaria de Jerusalén; de pronto aparecen en escena varios hombres encabezados por Cleofas y Simón, dos judíos rebeldes.*)

SIMON. —Hemos llegado, Cleofas. La revuelta será un triunfo para nosotros, ya que así dejaremos en ridículo al ejército romano y a ese tirano de Poncio Pilato, y de paso nos deshacemos de esos indeseables de Barrabás, Dimas y Gestas.

CLEOFAS. —Tienes razón; ese Pilato debería dejar de molestar a nuestro pueblo, y quitar de en medio a esos ladronzuelos será de beneficio para la nación.

SIMON. *(Dirigiéndose a los hombres que llegaron con ellos.)* —Ustedes vayan a los lugares que ya les hemos indicado y esperen la señal para iniciar la revuelta; y si no la escuchan, inícienla de todas maneras cuando lo consideren prudente. *(Todos salen, menos Cleofas y Simón.)*

CLEOFAS. —Fue una gran idea el congraciarnos con Poncio Pilato culpando a Barrabás y a sus hombres de la organización de la sedición y de esta revuelta; seguramente ya deben estar en manos de los soldados romanos.

SIMON. —¿Gran idea? ¡Fue genial! De alguna manera teníamos que quitarnos de encima a esos ladrones que nos angustiaban todo el tiempo. Seguramente los crucificarán en esta pascua. No me perdería el espectáculo de verlos a los tres colgados de un madero: La muerte más digna para unos ladrones.

(Sorpresivamente entran en la escena Barrabás, Dimas y Gestas armados con puñales y palos. Cleofas y Simón retroceden temerosos.)

CLEOFAS. —¡Ba-Barrabás! ¿Qué te pasa? ¿Se han vuelto locos?

BARRABAS. —El loco has sido tú, Cleofas, al tratar de engañarnos y buscar entregarnos a los soldados romanos. ¿Qué buscabas, Cleofas? ¿Era tu intención congraciarte con Poncio Pilato?

CLEOFAS. —¿De qué me hablas? ¡No sé a qué te refieres, Barrabás!

SIMON. —Es verdad, estamos aquí tal como lo planeamos para iniciar la revuelta.

GESTAS. —¡No mientas, cobarde! ¡Eres un traidor al igual que

Cleofas! *(Simón intenta atacar a Gestas, pero Dimas lo gol-
pea con un palo. Simón cae como muerto.)* ¡Bien hecho,
Dimas!

*(Dimas se queda atónito y espantado; Cleofas se inclina
para ver a su compañero que está inconsciente y sangrando.)*

CLEOFAS. —¡Lo has matado! ¡Ahora sí que se pudrirán en la
cárcel o morirán crucificados como vulgares ladrones y
asesinos!

*(Barrabás, con puñal en mano, levanta a Cleofas tomándo-
lo de las ropas.)*

BARRABAS. —Eso no será posible, ni lo verás jamás, ya que
tú no podrás hablar. Es más, no vivirás para contarlo. *(Acto
seguido le entierra el puñal en el estómago repetidas veces.
Cleofas cae sin vida; Barrabás queda en pie con el puñal y
las manos ensangrentadas como atónito. Dimas y Gestas
permanecen sorprendidos en silencio.)*

GESTAS. —¡Pronto, huyamos!

*(Aparecen en la escena rápidamente dos soldados con sus
espadas en mano.)*

SOLDADO 1. —¡Deténganse, asesinos! ¡Ríndanse!

SOLDADO 2. —¡Es Barrabás y sus cómplices! ¡Ha sido una
suerte que los hayamos encontrado! Llevémosles ante
Poncio Pilato. Seguramente nos recompensará por esto.

SOLDADO 1. —Sí, seguramente que seremos muy bien recom-
pensados. *(Le quita el puñal a Barrabás y lo jala de la ropa.)*
Pilato no deseaba otra cosa más que echarte mano,
Barrabás.

SOLDADO 2. —Ahora sí que nadie los podrá salvar del
madero. ¡Seguramente que serán crucificados en esta pascua! ¡Ja, ja, ja, ja!

SOLDADO 1. —Ustedes dos, suelten esas armas y no pongan resistencia.

(Los malhechores sueltan las armas y permanecen atónitos y en silencio se dejan llevar por los soldados. Solamente Gestas se muestra furioso.)

GESTAS. —¡Maldita sea! ¡Estamos perdidos!

SOLDADO 2. —¿Qué les pasa? Seguramente que estos no son los primeros infelices que asesinan.

SOLDADO 1. —¡Vamos, caminen! *(Todos salen de la escena. Se cierra el telón.)*

ESCENA V

(La escena se desarrolla una mañana, en una celda de la prisión.)

GESTAS. —Ya llevamos siete días aquí; es horrible esperar tanto tiempo por la muerte.

DIMAS. —¿Por qué hemos caído tan bajo? ¡Oh Dios! Si pudiese regresar el tiempo seguramente que no cometería los mismos errores.

GESTAS. —¡Calla, cobarde! Sólo los cobardes se arrepienten de lo que han hecho; además, nadie te obligó a seguirnos. ¡Estás aquí porque así lo quisiste!

BARRABAS. —Vamos, Dimas, recuerda que en el día de la fiesta de la Pascua el gobernador acostumbra soltar un preso, el que el pueblo decida; y como bien sabes, Pilato me aborrece a muerte, y el pueblo quiere verme crucificado. Así que con un poco de suerte, tú serás liberado.

GESTAS. *(Al escuchar las palabras de Barrabás, Gestas se da cuenta de que sus posibilidades de ser soltado son menores que las de Dimas. Se queda pensativo y comienza a hablar con voz muy baja, hasta gritar.)* —No quiero morir. ¡No quiero morir! ¡NO QUIERO MORIR! ¡NO QUIERO MORIR!

SOLDADO. *(Entrando en la escena.)* —¡A callar perros judíos! ¿Ahora sí tienen temor de morir? ¡Eso hubieran pensado antes de dar muerte a aquel hombre! Por suerte Simón no murió, pero recuerden que están presos por robo, sedición y homicidio; y dudo que alguno de ustedes tres sea libertado el día de la fiesta. ¡Tendré el gusto de verlos colgados de una cruz en el cerro del Gólgota a cada uno de ustedes! ¡Ja, ja, ja, ja! *(El soldado sale y permanece la escena en silencio por algunos instantes... Luego regresa el soldado.)*

SOLDADO. —¡Tendrán compañía por algunos momentos! *(El soldado trae consigo a Jesús golpeado y maltratado.)*

DIMAS. —¡Si es Jesús, el nazareno! ¿Por qué estás aquí? ¿Qué crimen puedes haber cometido? ¿Por qué estás tan golpeado?

GESTAS. —¡Ja, ja, ja! ¡Miren quién está aquí! El que habló de que la verdad nos haría libres. ¿Qué me dices ahora, "Mesías"? ¿Dónde está tu poder? ¿Dónde tus seguidores? ¡Anda! ¡Libérate y sácanos de aquí! ¡Usa tu poder!

JESUS. —¿Crees realmente que tengo poder para libertaros?

BARRABAS. —¡Cállate, Gestas! Ahora estamos todos en las mismas condiciones y sólo uno de nosotros se salvará; y en mala hora viniste a caer preso, nazareno, pues nos has quitado toda posibilidad de salvación. Estoy seguro de que te dejarán libre a ti, ya que te has ganado al pueblo, además de que ningún delito has cometido.

DIMAS. —¿Qué pecado has cometido para que te hayan golpeado de esa manera?

JESUS. —No es por mi pecado, es por vuestros pecados que me han golpeado de semejante manera, y me es necesario morir por ellos; porque de tal manera ama mi Padre al mundo que me ha enviado a morir a mí, su único Hijo, para que todo aquél que cree en mí no se pierda, mas tenga vida eterna.

BARRABAS. *(En tono muy sorprendido.)* —¿Estás tratando de decirme que todo lo has hecho solamente para salvar a los pecadores como nosotros?

JESUS. —Tú lo has dicho; pero no sólo eso, ha sido necesario que el Hijo del Hombre haya sido entregado en manos de pecadores, y que sea muerto, y resucite al tercer día.

GESTAS. —¡Bah! ¡Debes estar completamente loco! ¡Los azotes deben haberte desquiciado! Además... ¡tú no vas a morir! ¡No has hecho nada digno de muerte; estás aquí sólo por la envidia de los fariseos y principales sacerdotes! ¡Pronto te soltarán y después tus seguidores desaparecerán, y en pocos días nadie se acordará de ti!

BARRABAS. —Es verdad, nazareno. ¡Ya basta de palabrerías! ¡A nosotros no nos engañarás! ¡Pronto estarás en libertad y seremos nosotros quienes pagaremos por nuestros propios pecados en la cruz!

DIMAS. —Escuchémosle hablar, nada perdemos. Además, no tenemos nada mejor que hacer.

SOLDADO. *(Que ha regresado en ese instante.)* —¡Vamos, nazareno! Te llevaré ante Poncio Pilato, pues desea interrogarte.

BARRABAS. —¿Lo ves, Jesús? Pronto estarás libre, y por temor a esta golpiza, tus seguidores se alejarán de ti, como lo hicieron cuando te arrestaron; y te aconsejo que no vuelvas a engañar a más infelices.

(Jesús se les queda mirando por un momento con ternura, y con voz suave, pero segura dice.)

JESUS. —Yo soy la resurrección y la vida; el que cree en mí, aunque esté muerto vivirá.

(Salen el soldado y Jesús, y los tres ladrones se quedan pensativos y sorprendidos por las palabras de Jesús. Se cierra el telón.)

ESCENA VI

(La escena se representa en la misma prisión; continúan los tres ladrones en ella, aparentemente dormidos. Entra el soldado acompañado de Poncio Pilato.)

SOLDADO. —¡De pie, asquerosos judíos, que el gobernador Poncio Pilato ha venido personalmente a interrogarlos! ¡Vamos, despierten!

(Dimas y Gestas se ponen de pie rápidamente, Barrabás solo se sienta y permanece con la cara agachada.)

PILATO. —¿Cómo los han tratado en su nueva morada? Espero que no les haya hecho falta nada. ¡Ja, ja, ja! *(Levanta violentamente a Barrabás.)* ¡QUE TE HAS CREIDO ASQUEROSO HOMICIDA! *(Lo empuja nuevamente al asiento.)* Pronto te veré suplicando perdón... ¡y no te lo daré!

BARRABAS. —¿A qué has venido? Sabemos que moriremos crucificados esta tarde... ¡Pero olvídate de que me escucharás pidiendo clemencia! ¡Prefiero morir antes que humillarme ante ti!

PILATO. —¡Ya lo veremos! Quiero que tú mismo escuches cómo el pueblo te condena a ser crucificado como vulgar malhechor. ¿Recuerdas que acostumbro soltar a un preso en cada fiesta, uno que el pueblo decida? Pues hoy voy a soltar a uno.

DIMAS. —¿Será a uno de nosotros?

SOLDADO. —¡Ja, ja, ja! ¡No se engañen! ¡Ustedes morirán crucificados y se pudrirán en el infierno!

PILATO. —¡Silencio, soldado! *(Dirigiéndose a Barrabás.)* Tú has visto a Jesús, llamado el Cristo, tu "rey", ya que eres judío también; pues lo he interrogado y ningún mal he hallado en él, es más, me he maravillado con la actitud de ese hombre.

GESTAS. —Y... ¿qué tiene que ver ese nazareno con nosotros?

PILATO. —Con ustedes, nada, con Barrabás... ¡TODO! ¡Ja, ja, ja! Será el mismo Jesús quien te lleve a la cruz donde morirás.

BARRABAS. —¿A qué te refieres? No te entiendo.

PILATO. —Este hombre Jesús ha sido traído a mí porque los fariseos y principales sacerdotes le han entregado por envidia solamente. Así que durante la fiesta, voy a ofrecer al pueblo soltarlo a él o...

DIMAS. —¿O a quién?

GESTAS. ¡Habla, no nos dejes con esta incertidumbre!

PILATO. —¡O a ti, Barrabás! ¡Ja, ja, ja! Como supondrás, ¡Todos te odian! ¡todos pedirán que les suelte al Cristo y que te crucifique a ti! Y yo no podré negarme frente a todo el pueblo. ¡Ja, ja, ja, ja!

BARRABAS. —¿Sólo a eso has venido?

PILATO. —Disfruto de tu agonía... ¡Y por nada del mundo me perdería el espectáculo de verte crucificado! ¡Ja, ja, ja, ja!

(Pilato sale de la escena riéndose estrepitosamente.)

DIMAS. *(Dirigiéndose a Barrabás.)* —Por lo menos tú tienes la oportunidad de salvarte; en cambio Gestas y yo...

BARRABAS. *(Interrumpiendo exaltado a Dimas.)* —¿SAL-VARME? ¿Te has vuelto loco o qué? ¡El pueblo entero me aborrece! Y Jesús no ha cometido ningún delito, ya escuchaste a Pilato; además que Jesús ha hecho grandes beneficios para el pueblo judío y éstos le siguen. ¿Tú crees que pedirán su muerte en vez de la mía? No tengo oportunidad; al igual que ustedes, moriré crucificado como lo que soy: ¡Un ladrón y homicida!

SOLDADO. —Basta de hablar. ¡Sal Barrabás! ¡El espectáculo va a comenzar! *(El soldado y Barrabás salen de la escena.)*

GESTAS. —¡Ja! ¡No se salvará! ¡Ni el más tonto y malo del

pueblo pediría que suelten a Barrabás en vez de a Jesús! ¡Morirá con nosotros en el Gólgota! *(Dimas se queda cabizbajo y Gestas con cara de preocupación. Se cierra el telón.)*

ESCENA VII

(La escena se representa en un estrado frente a una multitud; en el estrado aparece Pilato seguido por Jesús y Barrabás con las manos atadas a la espalda traídos por el soldado. La multitud es la misma congregación, y entre ellos habrá varios actores que gritarán lo que dice la multitud. Al abrirse el telón la multitud empieza a murmurar.)

PILATO. *(Haciendo una seña con la mano pidiendo silencio en la congregación; luego habla dirigiéndose a la multitud.)* —He interrogado a este hombre; yo no hallo en él ningún delito, pero ustedes tienen la costumbre de que les suelte a un preso en la pascua. *(Gritando.)* ¿A quién quieren que les suelte, a Barrabás, el ladrón y asesino, o a Jesús llamado "El Cristo"?

MULTITUD. —¡A Barrabás!

PILATO. *(Desconcertado por la respuesta se hace el disimulado y repite.)* —¿Quieren, pues, que les suelte al "Rey de los judíos"?

MULTITUD. —¡No a éste, sino a Barrabás!

(Barrabás, que también se ha quedado sorprendido voltea a ver a Jesús, y éste permanece en silencio con la cabeza agachada.)

PILATO. *(Aún dudando.)* —¿Qué, pues, haré de Jesús llamado el Cristo? ¿Qué quieren que haga del que llaman Rey de los judíos?

MULTITUD —¡Sea crucificado! ¡Crucifícale! ¡Crucifícale!

PILATO. —¿Pues qué mal ha hecho? Ningún delito digno de muerte he hallado en él, le castigaré, pues, y le soltaré.

MULTITUD. —¡Crucifica a Jesús y suéltanos a Barrabás! ¡Crucifícale! ¡Crucifícale!

PILATO. (*Con temor le habla a Jesús.*) —¿De dónde eres tú? (*Jesús no le responde nada.*) —¿A mí no me hablas? ¿No sabes que tengo autoridad para crucificarte, y que tengo autoridad para soltarte?

JESUS. —Ninguna autoridad tendrías contra mí, si no te fuese dada de arriba; por tanto, el que a ti me ha entregado, mayor pecado tiene.

BARRABAS. —¡No puedes entregarle, es inocente! ¡Ningún delito ha cometido! ¡Yo soy un asesino, él no debe morir! ¡Yo merezco la muerte! (*Jesús voltea a ver a Barrabás con una leve sonrisa en el rostro, en donde denota amor y satisfacción; Barrabás se queda sin comprender lo que sucede.*)

JUDIO. (*De entre la multitud.*) —¡Si sueltas a Jesús, no eres amigo de César; todo el que se hace Rey, a César se opone! (*Al escuchar esto, Pilato se incomoda, y hace una seña al soldado que se encuentra a un lado del estrado; éste sale y segundos después entra con un recipiente lleno de agua.*)

PILATO. (*Metiendo las manos en el recipiente y lavándoselas.*) —¡Inocente soy yo de la sangre de este justo; allá ustedes! (*Dirigiéndose al soldado.*) —Suelten a Barrabás; azoten a Jesús y entréguenlo a la multitud. (*Terminando de decir esto sale de la escena.*)

BARRABAS. —¡Esto no puede ser, es un error!

(*El telón se cierra mientras Barrabás sigue gritando.*)

ESCENA VIII

(La escena se representa en una calle de Jerusalén; algunas personas pasan apresuradamente. Entra en la escena Barrabás, con la cabeza agachada y muy pensativo.)

BARRABAS. —No es posible, ¿cómo se puede alguien dejar matar sin motivo? ¿Cómo es posible que Jesús no se defendiera? ¿Cómo es posible que se dejara llevar a la muerte por su propio pueblo? No lo entiendo, no lo entiendo. *(Mira cómo a lo lejos, un hebreo pasa y al ver a Barrabás se detiene.)*

HEBREO. —¿Estás mirando el espectáculo? Han crucificado al tal "Hijo de Dios, a nuestro supuesto Mesías junto a dos asesinos. ¿Y no sabes que han soltado a Barrabás, el peor de todos los malhechores? Esa sí que es una injusticia del pueblo; ese tal Jesús está muriendo por un hombre malvado; él, que no cometió ningún delito, está pagando por un asesino desalmado. Bueno, te dejo, no quiero llegar tarde al Gólgota, quiero ver morir a esos dos ladrones cómplices de Barrabás. *(Sale.)*

(Barrabás se queda pensativo; en eso entran Noemí y Jocabed.)

NOEMI. —Pero... ¡Si es Barrabás! ¡Cómo es posible que estés libre y el Maestro muriendo en tu lugar, en esa indigna cruz de malhechor! ¡Ese lugar te corresponde a ti! ¿Te das cuenta de que él está ocupando tu lugar?

JOCABED. —Calma, Noemí. Barrabás no tiene ninguna culpa; mas bien, creo que todo está dentro de un plan de Dios. Jesús quiso que así fuera, y así será. Además, Jesús no solo está ocupando el lugar de Barrabás; también el tuyo y el mío, y el de toda la humanidad.

BARRABAS. —¿Un plan de Dios? ¿Acaso dijo Jesús algo de mí antes de ser aprehendido?

JOCABED. —Lo único que repitió varias veces es que él debía morir por nuestros pecados, para que todos los que creyésemos en él recibiéramos la vida eterna. Y además dijo algo que aún no alcanzamos a comprender.

BARRABAS. —¿A qué te refieres, Jocabed?

JOCABED. —Habló varias veces de que debería de ser entregado en manos de pecadores y morir; pero lo que aún no comprendemos es eso que dijo de que al tercer día resucitaría con poder de entre los muertos.

BARRABAS. —Es verdad, algo nos mencionó a nosotros también estando en la prisión.

NOEMI. —¿Estuvo el Señor en prisión con ustedes? ¿Le escucharon hablar sus enseñanzas?

JOCABED. —¿También Dimas le escuchó? ¿No creyó en él?

BARRABAS. —Lo único que puedo decirte es que Dimas era el más interesado en escuchar las palabras de Jesús, y ahora esta con él, crucificado, compartiendo sus enseñanzas, pero también su dolor y agonía.

NOEMI. —Debemos marcharnos, Jocabed, si quieres encontrar aún con vida a Jesús y a Dimas. Debemos estar junto a ellos en estos momentos.

JOCABED. —Es verdad, debemos irnos. Barrabás, puedes reunirte con nosotros si lo deseas. Hablaremos de Jesús y sus enseñanzas. (Salen.)

BARRABAS. (Se ha quedado pensativo, y empieza a hablar como recordando algo.) —¡Es verdad! Aún recuerdo sus palabras al respecto: "Para que todo aquél que cree en mí, no se pierda mas tenga vida eterna." Todo lo que ha dicho es verdad. ¡Todo se ha cumplido! Su muerte, su sufrimiento... "Yo soy la resurrección y la vida." "Resucitaré al tercer día"... ¡Claro! ¡El es realmente el Mesías prometido en las Escrituras! ¡El vino a libertar a nuestro pueblo, pero no como todos pensábamos, sino que vino a librar al hombre de la esclavitud del pecado! "La verdad os hará libres." "Si creyereis en mí seréis verdaderamente libres"; por eso dijo estas palabras. ¡El es la verdad! (Voltea y ve a lo lejos el Calvario.) Jesús ocupa hoy mi lugar. El está pagando por mis pecados y maldades, lleva en estos momentos el pecado de todo el mundo; ahí está él en el centro, y a sus lados

mis compañeros de fechorías. Ojalá y ellos pudieran creer
también en él. *(Cae de rodillas.)* ¡Ahora creo que Jesús es el
Cristo, el Hijo de Dios! ¿Por qué no lo descubrí antes? ¿Por
qué no creí en él cuando aún estaba con vida? EL OCUPO
MI LUGAR, está muriendo por el Barrabás que hasta hoy he
sido, pero ahora he nacido de nuevo, y ya no viviré más yo,
sino que Cristo vivirá en mí. Si él murió por mí, yo viviré
para él.

UNA VOZ. —Barrabás, mi hijo, esto es todo lo que Jesús pide
de ti: Que vivas para él, pero ten la confianza de que no
estarás solo tal como lo dijo, él resucitará, y le verás, y te
dejará la promesa de su presencia todos los días hasta el fin
del mundo.

(Se cierra el telón lentamente.)

JOYAS DEL APOSENTO ALTO

Eddie Valencia Angel

PERSONAJES:

Pastor
Mario
Paula
El Señor Jesús
Los doce apóstoles

(Se ve una pieza sencillamente arreglada, Mario y Paula están leyendo el Nuevo Testamento.)

PAULA. —Mario, perdona que te interrumpa.

MARIO. —Sí, dime...

PAULA. —La copa que el Señor ha de beber, ¿es con Israel o con la iglesia?

MARIO. —Esteeee... bueno, yo creo que es con la iglesia...

PAULA. —¿Por qué aquí en Lucas 22 en los versículos del 14 al 20 *(Señalando con el dedo.)* se nos dice que el Señor bebió de dos copas?

MARIO. —Esa es otra pregunta... La verdad... es queeee... eehhh... *(Carraspea.)* ... Es que ¡jum! *(Carraspea fuerte y chistoso), (se rasca la cabeza mientras camina nervioso.)*

PAULA. —Dime... tú debes saberlo porque tienes más tiempo de convertido que yo...

MARIO. —¡Claro!... je, je *(Risita nerviosa.)* ... diré... ¡no sé! *(Se desploma en la silla. En ese instante entra el pastor con la Biblia en la mano.)*

PASTOR. —¡Hola, jóvenes!

MARIO Y PAULA. —¡Hola, pastor! ¡Qué bueno que vino!

PASTOR. —¡Ah! ¿sí? ¿Y por qué?

PAULA. —Porque tenemos algunas preguntas sobre lo que sucedió en el aposento alto.

MARIO. —Hay ciertos datos que no los tenemos muy claros... por ejemplo: ¿Cuál fue el himno que cantaron en esa oportunidad?

PAULA. —Sí. Y... ¿qué significan esas dos copas mencionadas en Lucas 22? *(Busca afanada y señala con el dedo el pasaje El pastor se acerca y lee con atención el pasaje.)*

MARIO. —¿Qué clase de sopa había en el plato?

PAULA. —¿Judas comió del cordero?

MARIO. —¿En qué momento el Señor lavó los pies a sus discípulos?

PASTOR. —¡Ya! ¡Ya! ¡Calma! Vamos por partes. ¿Qué es lo que les preocupa realmente?

MARIO. —Es que siendo que la Semana Santa es un período de recogimiento espiritual para todo el mundo occidental llamado cristiano, creemos que detrás de unos simples días de fiesta debe haber una verdad más profunda todavía.

PASTOR. —Tienes razón Mario. Lo que verdaderamente vale es la persona del Señor Jesucristo y lo que él nos legó; no solo la salvación sino también su recuerdo y su presencia para siempre. A través de esta fiesta judía él dejó establecida una fiesta de carácter espiritual: La cena del Señor.

PAULA. —¿De manera que la Cena está basada en la Pascua judía?

PASTOR. —Sí, así es.

MARIO. —¿Cuán importante es para los judíos la celebración de la Pascua?

PASTOR. —Es muy importante. Para los judíos no hay otro servicio que muestre con mayor objetividad las ardientes aspiraciones de regresar a Jerusalén y reconstruir el templo; de regresar a la esperanza mesiánica...

MARIO. —¿Es significativo para nosotros hoy?

PASTOR. —Seguro. Dios venía preparando la mentalidad de las naciones desde la primera Pascua que encontramos en Exodo 12. Un cordero sin defecto debía ser sacrificado y comido con hierbas amargas.

PAULA. —¿Lo hacía cada familia?

PASTOR. —Sí. Debían comerlo al anochecer cuando las tinieblas de la noche caían sobre Israel, para recordar que fue en medio de una noche cuando el ángel destructor mató a todos los primogénitos de Egipto.

MARIO. —¿De manera que en la Pascua mencionada en Lucas 22 no sólo la celebraron el Señor y sus discípulos, sino todas las familias de Israel?

PASTOR. —Exactamente.

PAULA. —¿Cada cuánto tiempo se celebraba?

PASTOR. —En el libro de Exodo se nos dice que debían hacerlo en el mes de abril, todos los años, entre los días 13 y 14, es decir entre las dos tardes.

MARIO. —¿Esa fue la fecha cuando el Señor celebró la Pascua?

PASTOR. —Sí. El domingo anterior el pueblo lo había recibido como el soberano de Israel diciendo: "Bendito el que viene en el nombre del Señor." Pero ahora el Señor sabía que debía ser entregado para la salvación de su pueblo y de todo el mundo.

PAULA. —¿El cordero que comieron aquella noche era una representación del Cordero de Dios, es decir Jesucristo, que vino para quitar el pecado del mundo?

PASTOR. —Exactamente. Dios había preparado mentalmente

a los judíos para luego revelar verdades espirituales profundas como lo es el sacrificio redentor de Jesucristo en la cruz del calvario.

MARIO. —¿Cuán importante es para la iglesia la celebración de aquella Pascua que tuvo Jesucristo con sus discípulos?

PASTOR. —Es muy importante. Fue la última Pascua del tiempo de la ley, aunque los judíos, en general, siguen celebrándola todos los años. Pero nosotros sabemos que Cristo cumplió con la ley en la cruz del Calvario.

Para que comprendan mejor cómo de aquella última celebración de la Pascua que hizo Jesucristo nació la ordenanza de la cena del Señor, los invito a considerar Joyas del Aposento Alto.

(Se cierra el telón.)

ESCENA I

(Se abre el telón y se ve una gran sala. Es el aposento alto. En los muros se ven antorchas que iluminan. Una mesa central en forma de "U", con la parte abierta hacia el público, presenta platos, copas individuales, un tazón central como olla, palanganas para lavarse las manos y toallas para cada invitado, un manojo de hierba, pueden ser tallitos de apio o lechuga), un cabrito asado, una botella antigua con jugo de uva, dos panes grandes. El que representa al Señor Jesús se sentará justo en el vértice redondo de la mesa, con seis apóstoles a un lado y otros seis al otro, algo así como lo retrata Da Vinci en la Ultima Cena. Todos se vestirán a la usanza judía; las sandalias se colocarán junto al reclinatorio. Para resaltar el personaje de "El Señor", además de estar sentado a la cabecera de la mesa, podrá vestirse de blanco. Algunos pueden llevar sobre sus cabezas el tradicional "kiippá", gorro redondo. Junto al Señor debe encontrarse Judas con una bolsa que aparente llevar monedas. Del otro lado está Juan que debe ser el personaje más joven, que a la sazón tenía unos 20 años. Se puede usar un joven de unos 18 años para dar más realce a su participación.

*Los demás deben ser mayores de 30 años para el mismo efec-
to, o verse más adultos. Por la ventana dibujada se observa
Jerusalén de noche y una luna que ilumina los techos. Una
mesa sostiene una jarra con agua y una toalla grande para que
el Señor se la ciña. Por un costado entran Paula, Mario y el pastor como espectadores modernos del cuadro oriental que todos
los espectadores públicos observan.)*

PASTOR. —Aquel día el mismo Señor había mandado preparar
la Pascua para comerla con sus discípulos. En ese tazón
que ustedes ven había una sopa llamada Jaroseth, que con-
tenía dátiles, uvas secas y vinagre. El vino que usaban era
rojo, mezclado con agua.

(Los discípulos llenan sus copas.)

SEÑOR. *(Se levanta y toma la copa en la mano. Los demás
hacen lo mismo.)* —Bendito seas tú Jehovah nuestro Dios,
que has creado el fruto del vino. Bendito seas tú Jehovah
nuestro Dios, Rey del universo, que nos has escogido de
entre todos los pueblos, y nos has exaltado de entre todas
las lenguas, y nos has santificado con tus mandamientos. Y
tú nos has dado, oh Jehovah nuestro Dios en amor, los
solemnes días de gozo, y las festividades y los tiempos de
alegría. Y en este día de la fiesta de los panes sin levadura,
el tiempo de nuestra libertad, una santa convocación, el
memorial de nuestra salida de Egipto, porque tú nos has
escogido y nos has santificado de entre todas las naciones,
y has hecho que heredemos tus festividades santas para
nuestro gozo y alegría. Bendito seas tú, oh Jehovah que has
santificado a Israel y le has señalado tiempos. Bendito seas
tú, Jehovah rey del universo, que nos has preservado con
vida, y sostenido, y nos has traído a este tiempo. *(El personaje puede tener sus "líneas" sobre la mesa en caso de
que le falle la memoria.)*

*(Los discípulos se recuestan sobre el lado izquierdo y beben
la copa. Luego se incorporan en sus asientos y todos proceden
a lavarse las manos.)*

SEÑOR. —Bendito seas tú, Jehovah nuestro Dios, que nos has santificado con tus mandamientos y nos has hecho regocijar al lavar nuestras manos. *(El Señor toma algunas hierbas, las unta en agua salada, come de ellas y las da a los otros.)*

PASTOR. —De esta manera el Señor comenzó la Pascua. Las familias judías en el día de hoy agregan palabras como: "Quien necesite, que venga y celebre la Pascua. Este año la celebramos aquí y el año que viene la celebraremos en Tierra de Israel. Este año somos siervos y el año próximo seremos libres."

MARIO. —¿Y qué hacían después?

(Los discípulos y el Señor llenan sus copas otra vez.)

PASTOR. *(Señalando a los apóstoles.)* —Los participantes de la fiesta llenaban la copa por segunda vez. El menor de ellos debía hacer una pregunta. ¿Recuerdan quién era el menor en aquel grupo?

PAULA. —Sí, el apóstol Juan.

APOSTOL JUAN. *(Dirigiéndose al Señor.)* —¿Por qué esta noche es diferente a las otras noches? Las otras noches comemos pan leudado o sin leudar. ¿Y por qué esta noche es sin levadura? Las otras noches comemos muchas hierbas. ¿Por qué esta noche sólo comemos hierbas amargas? Las otras noches comemos carne asada, cocida o hervida. ¿Por qué esta noche la comemos sólo asada? Las otras noches nosotros untamos sólo una vez las hierbas. ¿Por qué ahora dos veces?

SEÑOR. *(El personaje debe narrar con palabras apropiadas la historia de Israel.)* —Porque Israel fue esclavizado en Egipto y se nos puso en dura servidumbre. Y Jehovah escuchó nuestro lamento y nos sacó con mano fuerte y poderosa, pero antes de sacarnos el ángel de Jehovah mató a todos los primogénitos de Egipto. Esa noche comimos un cordero asado con hierbas amargas para recordarnos de las aflicciones de Egipto. Dios nos exaltó sobre todas las naciones. *(El tono emocional de la narración va creciendo desde la des-*

gracia hasta terminar en gloria con la última frase: Dios nos exaltó sobre todas las naciones.)

(Los discípulos se reclinan sobre el lado izquierdo y toman la segunda copa. El Señor reparte el cordero con hierbas a cada plato.)

PASTOR. —¡Miren! *(Señalando al Señor mientras reparte.)* Cada uno recibe parte del cordero, la víctima inocente de la Pascua, pero aún no la comen. Ahora se disponen a cantar la primera parte del himno, llamado Hallel *(pronúnciese "jalel", aspirado)* que corresponde a los Salmos 113 y 114.

SEÑOR. —Bendito seas tú, Jehová nuestro Dios, Rey del universo, que nos has redimido, y redimiste a nuestros padres de Egipto.

PASTOR. *(Leyendo directamente de la Biblia.)* —El cántico dice: "¡Alabad, oh siervos de Jehovah, alabad el nombre de Jehovah! Sea bendito el nombre de Jehovah desde ahora y para siempre. Desde el nacimiento del sol y hasta donde se pone, sea alabado el nombre de Jehovah... Cuando Israel salió de Egipto, la casa de Jacob de un pueblo extranjero, Judá fue su santuario, e Israel su señorío... Ante la presencia del Señor tiembla la tierra; ante la presencia del Dios de Jacob, quien convirtió la peña en estanque de aguas y el pedernal en manantial de aguas."

(Los discípulos y Jesús se lavan las manos otra vez.)

PASTOR. —Ahora veamos cómo el Señor lava los pies de sus discípulos.

(El Señor se levanta de la mesa y se ciñe con la toalla que está sobre la mesita. Toma la jarra con agua echa un chorrito de agua en los pies de cada discípulo y los seca. Esto debe hacerse muy solemnemente. El señor llega a Pedro que deberá ser el último al que le laven los pies.)

PEDRO. —Señor, ¿tú me lavas los pies?

SEÑOR. —Lo que yo hago, tú no lo comprendes ahora; mas lo entenderás después.

PASTOR. —Así, el señor lavó los pies de sus discípulos aunque esta no era la costumbre de la Pascua. El apóstol Pablo nos dice que el Señor se humilló a sí mismo.

(El Señor vuelve a su asiento.)

SEÑOR. —¿Sabéis lo que os he hecho? Ejemplo os he dado, para que así como yo os hice, vosotros también hagáis.

(Se cierra el telón.)

ESCENA III

(Se ve al Señor rompiendo un pan y untándolo en el Jaroseth, y luego pasándolo a cada uno de los suyos.)

PASTOR. —Esta era una muestra de afecto y mucho amor para con los que comían del pan untado.

SEÑOR. —El que come pan conmigo, levantó contra mí su calcañar. *(Emocionado.)* De cierto, de cierto os digo que uno de vosotros me ha de entregar. *(Los discípulos se miran uno al otro. Pedro hace señas a Juan para que le pregunte al Señor.)*

JUAN. —Señor, ¿quién es?

TODOS. —¿Soy yo, Señor?

(El Señor moja el pan y lo da a Judas. El lo come. Mientras los demás se ven preocupados y gesticulan entre sí como conversando, aunque sólo mueven los labios el público debe escuchar la voz del Señor diciendo:)

SEÑOR. *(Dirigiéndose a Judas.)* —Lo que vas a hacer hazlo pronto. *(Judas sale.)*

SEÑOR. —Ahora es glorificado el Hijo del Hombre, y Dios es glorificado en él... Aún estaré un poco de tiempo con ustedes y me iré. *(Todos comen del cordero hasta el final de la escena.)*

PEDRO. —Señor, ¿a dónde vas?

SEÑOR. —A donde yo voy, no me puedes seguir ahora; pero me seguirás más tarde.

PEDRO. —¿Por qué no te puedo seguir ahora? ¡Mi vida pondré por ti!

SEÑOR. —¿Tu vida pondrás por mí? De cierto, de cierto te digo que no cantará el gallo antes que me hayas negado tres veces. No se turbe vuestro corazón. Creéis en Dios; creed también en mí. En la casa de mi Padre muchas moradas hay... Voy, pues a preparar lugar para vosotros. Y... vendré otra vez y os tomaré conmigo; para que donde yo esté, vosotros también estéis. Y sabéis a dónde voy, y sabéis el camino.

TOMAS. —Señor, no sabemos a dónde vas; ¿cómo podemos saber el camino?

SEÑOR. —Yo soy el camino, la verdad y la vida; nadie viene al Padre, sino por mí.

FELIPE. —Señor, muéstranos el Padre, y nos basta.

SEÑOR. —Tanto tiempo he estado con vosotros Felipe, ¿y no me has conocido? El que me ha visto, ha visto al Padre.

PASTOR. —El diálogo entre el Señor y sus discípulos continuó tal como lo tenemos relatado en los capítulos 14 al 16 del Evangelio de Juan. El habló especialmente del Consolador.

MARIO. —Ah, sí, el Espíritu Santo.

PAULA. —Fue allí donde el Señor les dijo que eran objeto de su amor.

PASTOR. —Sí. El les dijo que vendrían días de sufrimiento y persecución pero que él estaría cerca de ellos.

SEÑOR. —Os he hablado estas cosas para que en mí tengáis paz. En el mundo tendréis aflicción, pero ¡tened valor; yo he vencido al mundo!

(Todos se lavan las manos y llenan la tercera copa.)

SEÑOR. —Bendito seas tú, Jehovah nuestro Dios, que has creado el fruto de la vid. *(Se recuestan sobre su lado izquierdo y beben el vino.)*

SEÑOR. *(Incorporándose y mirando lentamente a los suyos.)* —No beberé más del fruto de la vid hasta que el reino de Dios venga.

PASTOR. —Esta es la tercera copa, una copa que recibía una bendición especial entre los judíos. Se llamaba la copa de bendición. Esta copa representa el pacto del Señor con el pueblo de Israel.

PAULA. —¿Esta copa no tiene que ver con la iglesia?

PASTOR. —No. La copa de bendición está ligada al pueblo de Israel y a los pactos de las promesas hechas a los patriarcas Abraham, Isaac y Jacob.

MARIO. —¿Significa eso que un día el Señor volverá a tener comunión con Israel?

PASTOR. —Sí. El apóstol Pablo dice a los Romanos que a Israel ha venido endurecimiento en parte hasta que haya entrado la plenitud de los gentiles.

PAULA. —¿Y el reino de Dios tendrá un rey como David? ¿O será el mismo Señor?

PASTOR. —El Antiguo Testamento nos enseña que David volverá a gobernar en Israel, aunque el mismo Señor será el Rey de reyes y el Señor de los señores (Eze. 34:23, 24; 37:23-25; Jer. 30:9).

(Se cierra el telón.)

ESCENA IV

PASTOR. —Ya no debían seguir comiendo. Sólo restaba tomar la última copa y terminar de cantar el himno, pero el Señor cambió el orden de la fiesta y procedió así. *(El pastor señala con la mano hacia el Señor. El Señor toma el otro pan que no ha sido roto y lo reparte entre ellos.)*

SEÑOR. —Coman todos de él. Este pan es mi cuerpo que es entregado por ustedes. Todas las veces que lo partan, háganlo en mi memoria. *(Los discípulos comen del pan y se miran atónitos. La escena debe ser reverente. Llenan las copas.)*

PASTOR. —Ahora el Señor, como el presidente de la mesa, se levanta para tomar la cuarta copa y pronunciar lo que se llamaba la "Bendición del Himno". *(El Señor levanta la copa. Todos hacen lo mismo.)*

SEÑOR. —Te alabaremos en todo a ti, oh Jehovah Dios nuestro. La justicia es un regocijo en ti; y todo tu pueblo, la casa de Israel, con cántico de gozo te alaba, te bendice, te engrandece y glorifica, y te exalta, te reverencia, y santifica, y atribuye el reino a tu nombre, oh nuestro Rey. Porque es bueno alabarte y regocijarse en cantar alabanzas a tu nombre, desde siempre y para siempre tú eres Dios. La grandeza de todos los seres alabará tu nombre, Jehovah nuestro Dios, y el espíritu de toda carne continuamente te exaltará y glorificará en tu memoria, oh nuestro Rey.

(Mientras todos permanecen con sus copas en las manos el Señor alza su copa y reverentemente dice.)

SEÑOR. —Esta copa es el nuevo pacto en mi sangre, que por ustedes se derrama. Hagan esto todas las veces en memoria de mí. *(Todos beben. Mientras todos dejan sus copas sobre la mesa se escucha al pastor.)*

PASTOR. —Ahora se disponían a cantar la segunda porción del Hallel, esto abarcaba los Salmos 115 al 118. *(Ahora, cada apóstol debe tener un rollo donde pueda leer.)*

APOSTOL 1. —No a nosotros, oh Jehovah, no a nosotros, sino a tu nombre da gloria por tu misericordia y tu verdad.

APOSTOL 2.—¡Oh Israel, confía en Jehovah! El es tu ayuda y tu escudo... Jehovah se acuerda de nosotros; él nos bendecirá. Bendecirá a la casa de Israel, bendecirá a la casa de Aarón.

APOSTOL 3. —Amo a Jehovah, pues ha escuchado mi voz y mis súplicas, porque ha inclinado a mí su oído. Por tanto, le invocaré todos mis días.

APOSTOL 4. —Me rodearon las ataduras de la muerte; me encontraron las angustias del Seol. En angustia y en dolor me encontraba.

PASTOR. —¿Se fijan? La letra de los Salmos va hablando del sufrimiento que iba a tener el mismo Señor de ellos.

APOSTOL 5. —Entonces invoqué el nombre de Jehovah, diciendo: "¡Libra, oh Jehovah, mi vida!"

APOSTOL 6. —Vuelve, oh alma mía, a tu reposo, porque Jehovah te ha favorecido. Porque tú has librado mi vida de la muerte, mis ojos de las lágrimas y mis pies de la caída. Andaré delante de Jehovah en la tierra de los vivientes.

APOSTOL 7. —Alzaré la copa de la salvación e invocaré el nombre de Jehovah... Estimada es en los ojos de Jehovah la muerte de sus fieles.

APOSTOL 8. —Escúchame, oh Jehovah, porque yo soy tu siervo; soy tu siervo, hijo de tu sierva. Tú rompiste mis cadenas. Te ofreceré sacrificio de acción de gracias e invocaré el nombre de Jehovah. Cumpliré mis votos a Jehovah, en medio de ti, oh Jerusalén. ¡Aleluya!

(Todos los apóstoles y el Señor cantan el Salmo 117 con la melodía que se encuentra en el canto No. 30 del Cancionero No. 2 para la Iglesia de Hoy. También puede conseguir el casete respectivo.)

TODOS. —¡Alabad a Jehovah, naciones todas! Pueblos todos, alabadle! Porque ha engrandecido sobre nosotros su misericordia, y la verdad de Jehovah es para siempre. ¡Aleluya!
(Recitan de nuevo.)

APOSTOL 9. —¡Alabad a Jehovah, porque es bueno; porque para siempre es su misericordia... Jehovah está conmigo; no temeré lo que me pueda hacer el hombre. Jehovah está conmigo, entre los que me ayudan. Por tanto, yo veré mi deseo en los que me aborrecen.

APOSTOL 10. —Mejor es refugiarse en Jehovah que confiar en el hombre... Todas las naciones me rodearon; en el nombre de Jehovah yo las destruiré.

PASTOR. —Vean ustedes cómo el último Salmo se va haciendo cada vez más glorioso; es un Salmo mesiánico que prepara el corazón de ellos para la tremenda obra que su Señor ha de efectuar horas más tarde.

APOSTOL 11. —Me rodearon y me asediaron; en el nombre de Jehovah yo las destruiré. Me rodearon como abejas, ardieron como fuego de espinos; en el nombre de Jehovah yo las destruiré.

APOSTOL 1. —¡Voz de júbilo y de salvación hay en las moradas de los justos! ¡La diestra de Jehovah hace proezas! ¡La diestra de Jehovah está levantada en alto! ¡La diestra de Jehovah hace proezas!

SEÑOR. (Con voz dulce y lenta.) —No moriré, sino que viviré, y contaré las obras de Jehovah. Duramente me castigó Jehovah, pero no me entregó a la muerte. ¡Abridme las puertas de la justicia! Entraré por ellas y daré gracias a Jehovah.

APOSTOL 2. —La piedra que desecharon los edificadores ha venido a ser la principal del ángulo. De parte de Jehovah es esto; es una maravilla a nuestros ojos.

APOSTOL 3. —Este es el día que hizo Jehovah; nos gozaremos y nos alegraremos en él.

APOSTOL 4. —Bendito el que viene en el nombre de Jehovah; desde la casa de Jehovah os bendecimos.

APOSTOL 5. —Jehovah es Dios y nos ha resplandecido. Atad ramas festivas junto a los cuernos del altar.

APOSTOL 6. —¡Alabad a Jehovah, porque es bueno, porque para siempre es su misericordia! (Se cierra el telón.)

ESCENA V

(El personaje del Señor se levanta y alza los ojos al cielo. Todos los discípulos mantienen las cabezas inclinadas. La persona que hace el papel del Señor debe repetir íntegramente la oración de Juan 17. Para hacer más fácil el papel del personaje se puede copiar toda la oración en pliegos grandes que serían adheridos en forma diagonal entre el muro y el techo sin que la audiencia lo note. Así el personaje puede ir leyendo la oración y dándole un sentimiento profundo. También se puede poner grabada en el equipo de sonido. Se cierra el telón.)

ESCENA VI

(En el aposento alto sólo se ve ahora una mesa sencilla en el centro con un pan y una copa.)

MARIO. —¿Después de la cena, el Señor se fue a Getsemaní?

PASTOR. —Sí. Cruzaron el torrente de Cedrón y se alejó para orar solo. La gran obra de expiación se acercaba.

PAULA. —¿Entendían los apóstoles todo?

PASTOR. —No, pero el Señor les dejó un legado a ellos y a nosotros. *(Señalando con su mano hacia la mesa.)* Su cuerpo ofrendado en la cruz del calvario lo recordamos en el pan.

MARIO. —Sí, ahora recuerdo... El dijo que a menos que el grano de trigo caiga en la tierra y muera, queda solo; pero si muere, lleva mucho fruto.

PASTOR. —Sí. El fue levantado en la cruz para que en su cuerpo recibiera el castigo que nosotros merecíamos y para que a través de sus llagas fuéramos nosotros curados.

PAULA. *(Con emoción.)* —Fue nuestro sustituto. Nos amó y se entregó por nosotros.

PASTOR. —Es cierto. También en la copa tenemos el recuerdo del nuevo pacto que ha hecho en su sangre para remisión de los pecados. Estos símbolos son de los que participamos en la cena del Señor, símbolos que nos recuerdan al Señor y su gran amor con que nos amó. Estas... son las joyas del aposento alto.

(Los tres bajan los rostros y mientras se escucha una voz varonil y profunda:)

VOZ. —"Todas las veces que comáis este pan y bebáis esta copa, anunciáis la muerte del Señor, hasta que él venga."

(Cae el telón.)

Nota del escritor: Excepto por la melodía del Hallel que desconocemos, las narraciones bíblicas de la última Pascua celebrada por el Señor han sido armonizadas de acuerdo con las diferentes partes de la auténtica pascua judía que el Señor comió con los suyos.

LA VISITA

María Cristina K. de Sokoluk

PERSONAJES:

Doña Sofía, la abuela
Eva, la madre
Norma, la hija, como de veinte años
Armando, el padre
Lito, el hijo, como de diecisiete años

ACTO I

*(Toda la obra transcurre en la misma sala. Hay dos sillo-
nes, una mesa, dos sillas y un banquillo con un teléfono. Si se
desea se pueden incluir otros elementos propios de una sala.)*

*(Todo a obscuras. Se oye música de fondo —Tema sugerido
"Dulce hogar" o un vals vienés. Llaman a la puerta. Se encien-
den las luces. Por un extremo del escenario ingresa la señora
Eva y se dirige al otro extremo donde hace entrar a doña Sofía.)*

EVA. —¡No!

DOÑA SOFIA. —¡Sí!

EVA. —¿Cómo?

DOÑA SOFIA. —Sentí un enorme deseo de verte. Preparé mi
ropa, saqué el pasaje y aquí estoy. Esto es para ti. *(Le entrega un ramillete de flores.)*

EVA. —¡Mamá! *(Le quita las maletas y la abraza.)* ¡Gracias,
gracias a Dios! Me parece un milagro. ¿Estás bien?

DOÑA SOFIA. —Ahora que te tengo cerca, estoy bien. Los
extrañaba tanto a todos. ¿Dónde está el resto de la familia?

61

EVA. —Por llegar en cualquier momento. Siéntate, por favor, mamá. Voy a preparar un té porque seguramente el viaje te cansó bastante. *(Sofía se dirige a un sillón, pero en ese instante entran, por la misma puerta que ella entró, sus nietos Lito y Norma.)*

LITO. —¡Vino mi abuelita! ¡Viva! ¡Bienvenida! *(Se lanza espontáneamente hacia ella y la abraza.)*

NORMA. *(Más formal, pero amable, se acerca y la besa.)* —¿Cómo estás, abuela? Me imagino que te quedarás muchos días, ¿no?

EVA. —Ya vuelvo con té caliente para todos. *(Sale por donde entró.)*

DOÑA SOFIA. —¡Mis nietecitos queridos...! Bueno, mirándolos bien, ya son más altos que yo. *(Sonrisas.)* Cuéntenme algo de sus vidas.

LITO. —A mí me va todo bien, menos en matemáticas.

DOÑA SOFIA. —Todo tiene solución en matemáticas, ¿no es cierto?

LITO. —Puede ser. La cosa es que yo encuentre las soluciones. Por desgracia no soy tan brillante como mi hermana.

DOÑA SOFIA. —¿Cómo te va en la universidad, Normita?

NORMA. —Me entusiasma, abuela. ¿Quieres que te cuente lo que me pasó hoy? Siéntate. *(La abuela se sienta con algo de dificultad en el sillón. Pausa.)*

DOÑA SOFIA. —¿Qué te pasó hoy?

NORMA. —Me designaron como disertante para el homenaje que se les va a brindar a las madres este domingo. *(Entra Eva con una bandeja y tazas. Queda inmóvil al escuchar las últimas palabras.)*

DOÑA SOFIA. *(Complacida.)* —¡Oh, qué distinción! ¿Me vas a mostrar tu discurso?

LITO. —¿Este domingo es el Día de la Madre? *(Eva se muestra asombrada también, pero trata de disimular.)*

DOÑA SOFIA. —¿Por qué crees que elegí esta fecha para visitarlos?

EVA. *(Carraspea.)* —Lógicamente. No es casualidad. ¿Les sirvo té?

NORMA. —Yo tomo una taza volando y me voy a redactar mis ideas.

LITO. *(Burlón.)* —¡Mis ideas! ¡Ay! Cuidado con la socióloga...

NORMA. *(Ignorando a su hermano.)* —Mamá, voy a dormir contigo, así la abuela puede ponerse cómoda en mi habitación.

EVA. —Me parece perfecto. Puedes encerrarte allí ahora si necesitas concentración.

DOÑA SOFIA. *(Recibe la taza de té y bebe.)* —Gracias. ¡Son todos tan buenos!

NORMA. *(Se sirve el té y se lleva la taza.)* —Entonces será hasta mañana. *(Sale por donde entró Eva.)*

LITO. —Yo no voy a tomar té. Quiero ver si hay alguito más sólido en la heladera... y luego me voy a dormir. Hasta mañana.

DOÑA SOFIA. —Que descanses, Lito.

LITO. —Ah, mami, dile a papá que me despierte temprano para estudiar matemáticas con él. *(Sale con Norma.)*

EVA. —No creo que haya problema. *(Bebe su té.)*

DOÑA SOFIA. —Hija, ¿qué dirías si yo también me voy a dormir? ¿No lo tomará a mal tu marido si no lo espero para saludarlo?

EVA. —¡Pero no! Habrá tiempo para eso. Armando tendrá que comprender. *(Alza las maletas.)*

DOÑA SOFIA. —Gracias por todo; gracias por todo. *(Se levan-*

ta con dificultad y sigue lentamente a Eva hacia donde salieron los nietos. Se apagan las luces.)

ACTO II

(Luz. La sala está tal como había quedado. Por la puerta de ingreso entra Armando con apariencia de empresario.)

ARMANDO. —¡Hola! ¿Dónde está mi familia? Buenas...

EVA. *(Sale por la otra puerta en salto de cama, pantuflas, crema en el rostro y rulos en el cabello. Con expresión de fastidio le indica silencio con el dedo.)* —¡Sshhh!

ARMANDO. —¡Eva! Qué bueno. Por lo menos encuentro un ser humano.

EVA. —Cállate, gritón. ¿No sabes qué hora es?

ARMANDO. *(Encogiéndose de hombros.)* —Para mí es la hora de llegar al hogar. ¿Vamos a cenar?

EVA. —Hay algo del mediodía en la heladera. ¿Te lo recaliento o prefieres prepararte un bocadillo? *(Pone un plato sobre la mesa.)*

ARMANDO. *(Se quita el saco y la corbata y se sienta a la mesa.)* —Cualquier cosa. ¿Puedo pedir un tenedor?

EVA. —Pero si tú sabes dónde se guardan los cubiertos.

ARMANDO. *(Va a buscar el tenedor.)* —¿Traigo dos?

EVA. —No. Yo ya cené con los chicos. Y con alguien más... porque tenemos una visita.

ARMANDO. —¿Una visita?

EVA. —Así es. Hace un par de horas llegó mi madre.

ARMANDO. *(Se le cae el tenedor de la mano. Carraspea.)* —¿Tu madre? Vaya... ¡Qué sorpresa! *(Toma asiento y recoge el tenedor del piso. Pausa.)* —¿Podrías alcanzarme una servilleta?

EVA. —Usa mi delantal. No quiero ensuciar más cosas porque ya hay una montaña para lavar mañana. *(Entregándole una lata de embutidos y unos panes.)* Y dime, ¿está todavía la loca esa en tu oficina?

ARMANDO. *(A punto de llevarse la comida a la boca.)* —¿Cuál loca?

EVA. —Esa tal Soledad, la que parece querer combatir su "soledad" a costa de los matrimonios ajenos.

ARMANDO. —Por favor, Eva. ¿Celos otra vez?

EVA. —Yo sé que esos ricitos, uñitas largas y palabritas suaves te gustan... ¡y no me lo niegues, Armando!

ARMANDO. —Analicemos esto con tranquilidad. Siéntate Eva.

EVA. —Ahora no. Hoy llegaste demasiado tarde y sabes que a esta hora me vence el sueño.

ARMANDO. —Es cierto; trabajé horas extra. Pero si no me ayudas a aclarar esto puede ser demasiado tarde para encontrarle la solución. Siéntate por favor, Eva. *(Eva toma asiento en la silla a su lado.)*

EVA. —Me has estado comparando, Armando, y eso no es justo. Ya sé. Soledad es una dulce criaturita que te trata como un rey. Yo en cambio, soy una veterana ama de casa y una madre desgastada. *(Seca unas lágrimas.)* Tan siquiera recuerda que soy la madre de tus hijos.

ARMANDO. —¿Y con eso qué? Yo soy el padre de tus hijos. ¿Acaso te ayuda eso a recibirme mejor cuando llego a casa?

EVA. —¿Y cuando tú llegas a casa, ¿notas mi cansancio, mi aburrimiento, mi frustración?

ARMANDO. —Admito que esas delicadezas se me han olvidado. Y a ti también se te olvidó el papel de enamorada de nuestra luna de miel.

EVA. —Quizá podría intentar unos ensayos más. Quizá imitando a Soledad...

ARMANDO. —¿Tú crees en los milagros? Vamos a continuar

esta conversación en el dormitorio porque yo también estoy muy cansado.

EVA. —Es que Normita está en nuestro dormitorio porque le cedió su cama a la abuela. ¡Eso es amor!

ARMANDO. —¿Qué tengo que decir yo ahora? ¿Gracias? ¿Dónde me toca dormir?

EVA. —Aquí en el sillón de la sala. Hasta mañana.

ARMANDO. —Veremos si antes de dormir dan algo por televisión. Espero que sea un programa de los que ayudan a soñar.

EVA. *(Casi a la salida vuelve a mirarlo.)* —Lito quiere que le expliques matemáticas antes de salir para la escuela. Así que pon el despertador más temprano.

ARMANDO. —"Hogar, dulce hogar"... Que sueñes con los angelitos. *(Sale Eva. Armando se dirige al sillón. Se apagan las luces.)*

ACTO III

(La misma sala, doña Sofía, la abuela, se encuentra sentada en un sillón, de perfil al público, tejiendo. Entra precipitadamente Norma.)

NORMA. —¿Dónde estás, abuela?

DOÑA SOFIA. *(Sonriendo.)* —Muy cerca de ti.

NORMA. *(Girando hacia ella.)* —¡Qué ciega soy! No te había visto. Me pediste que te leyera mi discurso.

—¡Sí, sí! Soy toda oídos. *(Deja el tejido y la mira con atención.)*

NORMA. *(Se ubica en medio del escenario y de frente al público. Con voz altisonante y ademanes exagerados, lee.)* —"Día de la Madre". Dos puntos. Fecha arbitraria de invención comercial. ¿A qué madre griega, latina o americana estamos venerando? En la historia universal encontramos muchas heroicas mujeres... ¿Por qué no puede ser simplemente el día de la Mujer con mayúscula? Juana de Arco, por ejemplo, nunca fue madre; tampoco Florencia Nightingale, ni Helen Keller, ni Gabriela Mistral, ni Teresa de Calcuta..., por citar sólo algunas ilustres solteras. Este concepto de maternidad es sólo una absurda abstracción. En cada paseo público nos topamos con un monumento a "la madre". Señoras y señores, ¿nos hemos detenido a pensar que esa mujer de piedra con un niño en el regazo incluye por definición a todas las hembras que reniegan de aquello que han concebido? ¿Podemos olvidar a aquellas madres responsables de abortos, de infanticidios, o de irresponsabilidad en la consolidación de vínculos familiares? Aun la historia sagrada nos muestra la pérfida astucia de una madre que susurra a su hijo un plan contra su propio padre y hermano. En síntesis, ¿qué celebramos hoy? El día de la madre virtuosa e intachable, la amiga de sus hijos y fiel compañera del marido, la defensora del bienestar familiar, que cumple diariamente con abnegación su papel de ángel tutelar de la felicidad de aquellos que dependen de ella. Para concluir, invito a cualesquier persona del público presente a levantar una mano si la vida le deparó tal dechado de perfección como madre... *(Pausa.)* ¿Qué te parece mi arenga, abuela?

DOÑA SOFIA. —Me parece bien redactada, conmovedora y hasta convincente. (*Entra Armando. Se sienta en otro sillón. Abre un periódico y se oculta detrás de él como leyendo.*)

NORMA. —Me voy a mi cuarto a ensayar delante del espejo. Tengo que memorizarlo porque mañana ya es el Día de la Madre.

(Armando asoma detrás del periódico con expresión de recordar con sorpresa y alarma.)

DOÑA SOFIA. —Una duda me quedó, Normita.

NORMA. —¿Cuál?

DOÑA SOFIA. —¿Dirás en el discurso que les deseas a las madres un feliz día, verdad?

NORMA. —¡Abuela, qué anticuada! Esa frase está gastada y es cursi. Atención: Ahí llega el bebé de mamá. (*Entra Lito por una puerta y Norma sale por la otra.*)

ACTO IV

(La misma sala, doña Sofía continúa tejiendo. Entra Lito.)

LITO. —Hola todos.

DOÑA SOFIA. —¿Cómo te fue en la escuela?

LITO. —Bastante bien. Papá, ¿Me prestas el auto para salir mañana? *(Doña Sofía vuelve a su tejido. El padre responde desde atrás del periódico.)*

ARMANDO. —No. *(Lito hace gestos a la abuela como pidiéndole que interceda por él.)*

DOÑA SOFIA. —¿Qué día es mañana?

LITO. —Domingo, abuela. Los viejos nunca se acuerdan de los días de la semana ni de las fechas.

DOÑA SOFIA. —Tú te olvidas que mañana es el Día de la Madre. *(Armando baja el periódico y se ve en su rostro la turbación.)*

LITO. —¡Uy! Nooo... ¿Es obligación quedarse en casa?

DOÑA SOFIA. —Por supuesto que no. Creo que mañana tu mamá va a ir al club con su amiga Gertrudis.

LITO. —¡Está loca! ¿Cómo se le ocurre salir en domingo con esa solterona... y nada menos que en el Día de la Madre?

DOÑA SOFIA. —¿Y qué tiene de malo? *(Armando mira por encima del periódico con creciente interés.)*

LITO. —Qué se yo. Yo creía que era un día para comer cosas ricas. Y no sólo eso; es una especie de excusa para que los familiares se vean las caras.

DOÑA SOFIA. —Pero si a la mañana se saludan, ya es suficiente. Después de cumplir simbólicamente con un beso a la madre, todos quedan en libertad.

LITO. —Estas bromeando, abuela. ¿En serio se puede cumplir con un beso simbólico?

DOÑA SOFIA. —Es una fecha arbitraria, como dijo tu hermana. Un día como cualquier otro.

LITO. —Nada de eso. Mamá se quedará en casa.

DOÑA SOFIA. —¿Acaso para servir a la familia?

ARMANDO. *(Poniéndose de pie.)* —¡No, señor! ¿Por qué? El nene no quiere crecer y necesita los postres de la mamá y los mimos de la abuela. *(Va hacia Lito y le entrega un llavero.)* Está bien. Te presto el auto para que mañana salgas y te hagas el fanfarrón por ahí. *(Lito lo recibe entusiasmado. Armando vuelve su sillón.)*

DOÑA SOFIA. *(Ignorando la torpeza del padre.)* —Lito, tu abuelo y yo éramos felices. *(Armando la mira y bosteza.)* No faltaban problemas. El era muy desordenado y yo un poco rezongona, pero el amor continuó hasta el fin de sus días.

LITO. *(Con algo de sarcasmo.)* —¿Amor? Pero... ¿a qué edad?

DOÑA SOFIA. —A los 20.

LITO. —¡Aaaah!

DOÑA SOFIA. —A los 30 más maduro; a los 40 más noble, y así más tierno y arraigado cada día.

LITO. *(Acercándose a la abuela.)* —¿Cómo se decían esas cosas antiguamente?

DOÑA SOFIA. —Me parece que el vocabulario era más amplio que el de las canciones de amor de ahora. Además, ¿cómo te diré?, las acciones hablaban más que las palabras. El abuelo recordaba sin falta mi cumpleaños. Ahora hasta yo lo olvido... ¡Ja! Y el Día de la Madre siempre cocinaba para mí.

LITO. —¡Eeeeh! ¿Y usted sentada?

DOÑA SOFIA. —Yo sentada en la cocina riéndome de su manera de cocinar.

ARMANDO. *(Desde atrás del periódico.)* —Yo todavía no he llegado a un estado tan caduco.

LITO. —¿Y nunca discutían?

DOÑA SOFIA. —Sí, y a veces mucho. Pero antes de ir a dormir siempre buscábamos una salida. Así como tu padre te ayuda con los problemas matemáticos, nosotros procurábamos encontrar una solución, orábamos juntos y Dios siempre hacía el milagro de la restauración del amor. *(Suena el teléfono. Lito se apresura a atender la llamada.)*

LITO. —¡Hola! Sí, habla Lito. *(Se pone de perfil al público pero da la espalda a doña Sofia y Armando.)* Qué hermoso es poder escuchar otra vez tu voz, Soledad. *(Pausa.)* Sí, sí. Iba a llamarte cuando supiera con seguridad lo de mañana. Sí, ya está. Papá me acaba de confirmar que me presta el auto. *(Armando visiblemente turbado espía desde atrás del periódico y vuelve a fingir que lee. En la cara de la abuela se dibuja una amplia sonrisa enigmática.)* Perfecto, Sole. Cuidadito con olvidarte de la hora. Hasta mañana, nena. *(Cuelga el receptor y se dirige a su padre.)* Gracias, papito lindo, y deséame suerte. *(Sale Lito y Armando arroja el periódico violentamente al piso.)*

DOÑA SOFIA. *(Prudentemente, abandona su sillón.)* —Creo que Eva me necesitará en la cocina. Con permiso.

ARMANDO. —Pase usted, doña Sofia. *(La abuela sale lentamente y Armando comienza a pasear de una punta a otra del escenario.)* Conque la noviecita de mi hijo es mi propia secretaria. Y yo a punto de destruir mi hogar por una chiquilla. Este problema necesita el tratamiento que le hubiera dado mi finado suegro. ¡Cielos! ¿Dónde se encuentra una Biblia en esta casa? *(Busca por la sala.)* No queda más remedio que tomar esta de doña Sofia. *(La recoge del sillón donde estuvo la abuela; se sienta en el mismo y lee. Al cabo de unos instantes inclina la cabeza y mueve los labios como orando.)*

ACTO V

(La misma sala. La abuela en su sillón leyendo la Biblia.

Norma vestida con elegancia se pasea de una punta a otra con los papeles del discurso como repasando. Eva está vestida con equipo deportivo y bebe un vaso de leche. También Lito está preparado como para salir. Entra Armando.)

ARMANDO. —¿Adónde van todos?

EVA. —Yo al club. *(Toma su raqueta.)* Ya dije que tenía un compromiso con Gertrudis.

LITO. —Yo a dar un paseo. *(Juega con el llavero.)* Sería poco galante faltar a mi palabra.

NORMA. —¡Cómo! ¿Ninguno de ustedes va a venir a escuchar mi discurso?

ARMANDO. *(Dando un puñetazo sobre la mesa.)* —¡Qué discurso ni qué paseo ni qué compromiso! ¡Ninguno se mueve de aquí! *(Silencio profundo. Todos cambian de semblante y lo miran.)* Hoy es el Día de la Madre. *(Pausa.)* Nunca vi tanta ingratitud junta hacia una madre.

NORMA. —¡Papá! ¡Qué metamorfosis! ¿Serías capaz de predicar que se debe amar a la suegra también...?

ARMANDO. —Sí, señorita. La abuela recibirá un regalo de mis propias manos en premio por lo que me enseñó ayer. *(Mientras todos se miran estupefactos Armando sale y vuelve inmediatamente con un ramo de flores que entrega a doña Sofía reteniendo la mano de ella entre las suyas.)*

EVA. —¿Pero qué sucede aquí?

ARMANDO. —Sucedió anoche, cuando quedé solo en esta sala y me puse a leer la Biblia en lugar de ver televisión. Yo me consideraba un buen padre y un marido bastante mejor que otros. *(Echando una mirada a su alrededor.)* Pero todas las cuentas me salieron mal. Doña Sofía me enseñó una lección de matemáticas que yo no sabía. Puse a Dios en los cálculos y el resultado fue una respuesta inesperada: un cambio que comienza por mí y afecta a toda mi familia. *(Pausa. Contempla por unos instantes a su esposa.)* ¿Y tú? ¿Sales al club?

EVA. —Se me pasaron las ganas. *(Deja que la raqueta se*

deslice al piso.) Voy a cancelar el compromiso.

ARMANDO. —Mejor así, porque hoy voy a cocinar yo y vas a probar mi ensalada de familia sazonada con suegra.

LITO. —Mamá, quiero darte un beso que no sea un símbolo sino un hecho. *(La besa.)* Feliz día. Hoy me quedo en casa. *(Arroja el llavero a su padre.)*

DOÑA SOFIA. —Norma, acércate para que escuche el discurso por última vez.

NORMA. *(Estruja todos los papeles que tiene en la mano y los arroja a su hermano como una pelota.)* —Se me ocurren ideas que no están en esos papeles. Voy a improvisar un nuevo discurso. *(Se dirige a la abuela y la abraza.)*

ARMANDO. —Podrías decir que no hay Día de la Madre si no están los hijos, que no hay hijos si los abandonan los padres, que no hay padres si no hubo abuelas, etc. etc. *(Se acerca a abrazar a Eva y a Lito.)*

EVA. *(Los dos grupos abrazados se aproximan radiantes.)* —Así es. No hay madre feliz si no hay una familia feliz.

AMARGA EXPERIENCIA

Samuel Stamateas

PERSONAJES:

Padre, Adrián
Madre, Mónica
Abuela, Elvira
Hijo mayor, Julio
Hijo 2, José Luis
Hija 3, Conie
Amigo 1, Rody
Amiga 1, Marina
Amiga 2, Estela
Amiga 3, Patricia
Empleado 1, Carlos
Empleado 2, Inocencio
Jefa, Marcela

ACTO I

(En el comedor de una casa familiar. Globos, alegría. Una torta sobre la mesa. Todos cantan el cumpleaños feliz. Clima de amor familiar. Un hijo, Julio, con aire de tristeza.)

PADRE. —Julio, es una gran alegría que podamos compartir tu cumpleaños... ¿Qué se siente tener un año más?

JULIO. —Y... qué se va a sentir... un año más viejo...

CONIE. —Bueno, tampoco hables así... apenas tienes 25...

JOSE LUIS. —Para Conie, tampoco es un niño... Mírame a mí... Yo sí que soy un niño... Estoy en lo mejor de la vida, y lo que es más interesante todavía las chicas mueren a mi paso...
(Risas.)

JULIO. —Sí, pero aclara que se mueren del susto. *(Risas.)*

JOSE LUIS. —Vamos, tú lo dices de envidia nomás. *(Risas.)*

ABUELA. —Si te habré cambiado los pañales, Julito... ¡Cuánto me has hecho renegar!

CONIE. —Y todavía lo sigue haciendo, abuela. *(Risas.)*

JULIO. —¡Eh! ¡Pero qué sucede hoy! ¡Es mi cumpleaños! Tengan un poco más de respeto por este joven que lentamente está perdiendo su juventud.

PADRE. —Julito, tus hermanos te están tomando el pelo... No creo que te hayas enojado, ¿verdad?

JULIO. —No, papá, yo también he sido un niño como ellos en alguna época. *(Risas)*

MADRE. —¿Recuerdan cuando Julito cumplió 10 años, que al soplar las velitas de la torta, cayó sobre ella?

ABUELA. —¡Cómo nos reímos!

PADRE. —Tengo todavía la foto aquella.

JOSE LUIS. —¿Y recuerdan la fiesta sorpresa que le habíamos organizado a Constanza para sus 15 años?

CONIE. —Sí... me habían dicho que no podían hacerla porque papá no estaba bien económicamente. ¡Qué sorpresa tan agradable fue cuando volví del colegio y encontré a todos mis amigos en casa!

ABUELA. —Celebrar los cumpleaños de la familia es una costumbre familiar muy vieja que nosotros tenemos.

PADRE. —Bueno, bueno, dejemos los recuerdos y vayamos al presente. ¿Por qué no le entregamos a Julio nuestros regalos?

ABUELA. —Este es mi regalo, espero que sea de tu agrado. *(Julio abre el paquete y muestra un suéter.)*

JULIO. —¡Abuela! ¡Es el suéter más lindo que he visto!

ABUELA. —Pruébatelo, si no te queda puede cambiarse.

JULIO. —Abue, eres la mejor abuela del mundo.

ABUELA. —Anda Julio, a cuántas les dirás lo mismo. *(Risas.)*

CONIE. —Para ti, hermano. Creo que es algo que estabas necesitando. *(Le entrega su regalo.)*

JULIO. —¡Qué bueno esto! ¡El diccionario Español-Inglés! ¡Gracias, Conie!

CONIE. —Por favor hermano... No se agradece...

JOSE LUIS. —Recibe el mío, Julio. Es modesto pero con mucho cariño... *(Le da un paquete.)*

JULIO. —¡Un cinturón! ¡Y del mismo color que mis mocasines nuevos! Gracias hermanito.

PADRE. —Julito, este es el regalo de mamá y mío... Espero que te guste. *(Julio abre el regalo. Es un equipo de audio. Primero con alegría, pero luego con tristeza les agradece. Los hermanos hacen gestos preguntándose qué le pasa.)*

JULIO. —Mamá, Papá... No quería arruinarles la fiesta, pero tengo que decirles algo que hace rato vengo madurando...

MADRE. —Pero... ¿Qué pasa? ¿Es algo malo? *(Preocupada.)*

JULIO. —No... Malo no es... tampoco es bueno, por lo menos para ustedes...

MADRE. —¿De qué estás hablando, Julio? Sé más claro por favor...

JULIO. —Papá, mamá... voy a irme a vivir solo.

CONIE. —¿Solo? *(Con sorpresa.)*

JULIO. —Sí, solo... Hace tiempo que tenía la idea en mente. Necesito sentirme libre... independiente...

PADRE. —Julio, no entiendo. ¿Es que aquí no eres libre?

JULIO. —Sí, papá... pero quiero otra libertad... Ustedes no van a entender... La gente de mi edad tiene otros valores... otros ideales...

CONIE. —Julio, yo también tengo tu edad y no sé de qué valores estás hablando. Creo que mamá y papá nos han educado correctamente y nos han dado de ellos lo mejor. No entiendo este planteo.

JOSE LUIS. —En qué andas Julio... Acá hay algo raro.

ABUELA. —Si tu abuelo viviera..., cuánta tristeza le estarías dando ahora...

JULIO. —No abuela, no digas eso...

MONICA. —Julio, tienes libertad para contarnos qué te sucede... si quieres.

JULIO. —Mira, estoy saliendo con una chica hace ya un buen tiempito... Nos llevamos bien... Pensamos en vivir juntos... Viejo, me gustaría que me dieras la plata que nos prometiste a cada uno cuando nos casáramos.

PADRE. —Entonces es una chica.

JULIO. —No, papá, es más que eso.

MADRE. —Te has cansado de nosotros...

JULIO. —No, mamá, no me cansé de ustedes; me cansé de mí mismo, de no ser valiente. Tengo pasta de triunfador; sé que me va a ir bien.

JOSE LUIS. —¡Sí, trabajando en el negocio de papá como lo estás haciendo también te va a ir bien!

JULIO. —No José. Papá toda la vida trabajó para apenas tener un auto y una casa.

PADRE. —Pero Julio, ¡cuántas veces les hemos enseñado en dónde radica la verdadera felicidad del hombre! ¡Cuántas veces conversamos en la mesa sobre eso!

ABUELA. —¡Tienes una familia ejemplar! El cariño de tus hermanos, de tus padres, el mío...

JULIO. —Sí, abuela, eso no está en discusión...

CONIE. —Pero explícame una...

JULIO. *(Interrumpiendo.)* —Basta, no tengo nada qué explicar.

¿Van a respetar mi decisión, sí o no?

MADRE. —Así fue siempre hijo. Creo que eso lo sabes bien.

JULIO. —¿Me van a dar lo mío, sí o no?

PADRE. —Sí Julio, así se los prometimos a los tres, así lo haremos. Pero quiero que sepas una cosa: Pase lo que pase te seguiremos queriendo, y aquí tu lugar en esta mesa siempre te estará esperando.

(El telón se cierra lentamente.)

ACTO II

(Habitación de un departamento. Humo, música, cerveza. Presentes: Julio, Patricia, Rody, Marina, Estela. Todos acostados en el piso. Sobre almohadones. Toman cerveza, cantan.)

ESTELA. —Cómo tarda Marina. A ver si la atrapó la poli.

JULIO. —¡No seas negativa! ¡Siempre pensando lo peor!

ESTELA. —¿Pero no te parece que está tardando demasiado?

PATRICIA. —Quizás se quedó dormida... o se dio una sobredosis.

JULIO. —Esperemos. En su casa no contesta nadie, así que debe estar por llegar.

RODY. —Sí, pero que no se demore mucho más. Ella traía una "bolsita" con algo para aspirar.

(Suena el timbre. Abren la puerta. Es Marina.)

JULIO. —¡Marina! Nos asustaste con tu demora.

MARINA. —Perdonen, muchachos, se me fue la mano y me quedé planchada por más de 15 horas. Pero para que no se enojen les he traído... ¡una bolsita de vida!

JULIO. —Sí, pero, dejen eso para después. Ahora quiero que dialoguemos.

PATRICIA. —Te dije, Julio, irte de tu casa fue lo mejor que has hecho en los últimos 25 años,

MARINA. —Mejor todavía fue que te saliste con los bolsillos llenos.

JULIO. *(Con tristeza.)* —Sí, papá cumplió con lo que nos había prometido a mí y a mis hermanos.

MARINA. —Bueno, basta de llanto. Lo único que falta es que te pongas nostálgico ahora que comenzarás a ser millonario.

RODY. —Millonario no. ¡Supermillonario!

ESTELA. —Julio, piensa que si no te salías, de dónde diablos sacábamos el dinero para empezar este trabajito.

RODY. —No, no, no... cuidadito con los términos: "Trabajito" es para los novatos; nosotros ya estamos en lo grande. Ahora se dice "ne-go-cio", ¿entendiste, Estela? No es ni venta de "falopa" de "merca"... ¡Hablemos como empresarios!

MARINA. —Brindemos por "el negocio".

(Todos toman sus latas de cerveza y brindan "por la merca" "por la tranza", "por todos los drogadictos".)

PATRICIA. —Bueno hagamos un repaso de nuestros procedimientos para analizar nuestra forma de trabajar.

RODY. —Está bien. Desde el comienzo.

JULIO. —Veamos cómo funcionamos y pensemos bien en que no se nos escape ningún detalle.

MARINA. —Sí, yo no quiero caer presa otra vez.

ESTELA. —Por eso tenemos que tener mucho cuidado. Hasta ahora nos está yendo bien, pero no nos descuidemos porque esto no es sencillo.

PATRICIA. —La "merca" llega desde Jujuy. Allí Chufy está trabajando bien.

MARINA. —¿Chufy? ¿Quién es Chufy?

PATRICIA. —Osvaldo Gómez, alias Chufy, Marina.

MARINA. —¿Y por qué no dicen Osvaldo?

PATRICIA. —Sabes que en esta "actividad" nadie es conocido por su nombre verdadero; todos tenemos apodos.

MARINA. —A mí quiero que me llamen "Princesa".

JULIO. —Bueno, bueno, no perdamos tiempo en esas tonterías y sigamos. Quiero estar seguro de que todos los detalles están bajo nuestro control. Sigamos.

ESTELA. —Osvaldo envía la "mercadería" en el fondo de los "micros".

RODY. —Sí, los "micros" que utilizamos tienen doble fondo, nadie sospecharía de eso. En la terminal tenemos a Zulema y a Roberto; ellos levantan la "mercadería" durante la noche.

JULIO. —Allí intervienen Rody y Patricia, que se la llevan al depósito, lista para la distribución.

PATRICIA. —Brindemos por esta genialidad.

MARINA. —Y brindemos por nuestro socio capitalista, sin cuyo dinero jamás hubiéramos iniciado con nuestra propia empresa.

(Todos brindan. Corre la droga. Las luces se van apagando lentamente. Se cierra el telón.)

(Departamento de Julio. Se encuentra solo, tomando una bebida y escuchando música.)

JULIO. —Y pensar que en la casa del viejo vivía como un tonto. Sí, eso era, un tonto. Cuántos años de ignorancia. Claro, ellos valoraban otra cosa. La mentalidad de ellos es diferente. *(Se queda pensando en silencio un rato.)* Qué será de la vida de la abuela... ¡Ja, ja, ja! Siempre dando consejos... Bueno en el fondo ella era pesada, pero siempre buscó nuestro bien. *(Se mira al espejo, se arregla.)* Pero hoy este galán disfruta de un buen presente y se prepara para un mejor futuro. Aquí estoy yo: el rey del placer. Pronto todo caerá a tus pies rendido, Julito... mujeres, dinero y poder. Qué más puedo pedirle a la vida. *(Suena el teléfono.)* Sí, ya va, ya va. *(Levanta el aparato.)* Hola, ¿quién es?

(Se escucha la voz de quien está hablando con Julio.)

VOZ. *(Con desesperación.)* —Flaco, huye... cayó la policía... se llevaron a las chicas y a Osvaldo... parece que los apretaron y confesaron todo... están yendo a tu casa... Huye, flaco... huye... *(Se corta la comunicación.)*

JULIO. *(Desesperado arma una valija con poca ropa, mientras habla consigo mismo.)* —Justo ahora que me quedé sin plata. Justo ahora que estaba esperando recibir un ingreso grande de dinero. ¡Qué mala suerte! *(Toma el teléfono y reserva un pasaje a Salta, un pueblito del interior. Se escucha la sirena de la policía. Huye por la ventana. Se cierra el telón.)*

ACTO IV

(Una oficina en la provincia de Salta. Mucho calor. Dos empleados trabajando con Julio: Carlos e Inocencio. Una jefa autoritaria, Marcela.)

CARLOS. —Che porteño, ¿me quieres decir para qué has venido de la gran ciudad a este infierno?

INOCENCIO. —Para mí que éste está loco...

(Julio no responde, sigue trabajando.)

CARLOS. —Che porteño... No te hagas el burro, que aquí los salteños no somos como ustedes creen.

INOCENCIO. —Para mí que éste está loco...

CARLOS. —Bueno porteño, si quieres hablar, habla, y si no pégate un tiro. Mira que porteño este, Inocencio. Seguramente debe extrañar el aire acondicionado de su departamento... Debe extrañar cuando seguramente piernas para arriba miraba algún video y la mucama le traía algo para beber. *(Tomándole el pelo.)* "Señor Julio, ya está la piscina preparada, con la temperatura como a usted le gusta..."

INOCENCIO. —Para mí que éste está loco...

(Se escuchan pasos. Viene la jefa. Carlos e Inocencio vuelven al trabajo.)

MARCELA. —Carlos, ¿alguna novedad en mi ausencia?

CARLOS. —No señora.

MARCELA. *(Dirigiéndose a Carlos.)* —¿Cuánto le falta para terminar el trabajo que le di?

CARLOS. —No me levanté de la silla durante toda la mañana, señora. Creo que en un par de horas más.

MARCELA. —¿Y a usted, Inocencio?

INOCENCIO. —En media horita no más le entrego todo lo que me pidió, señora.

MARCELA. —¿Y el porteñito malcriado? ¿Terminó su trabajo?

JULIO. —Todavía no.

MARCELA. —¿Todavía no qué, señorito? ¿Con quién se cree que está hablando? ¿Con la mucama de su casa en Buenos Aires? "Todavía no, señora." Responda así.

JULIO. *(Con aire de disgusto.)* —Todavía no, señora.

MARCELA. —Todos son de la misma calaña... soberbios. No sé para qué vino este señorito aquí a perturbarnos.

(Concluye el día. Se marchan a su casa. Carlos e Inocencio siguen riéndose de Julio. Se cierra el telón.)

ACTO V

(El cuarto de una pensión sucia y vieja. Julio acostado en una cama, pensativo. Se escucha una grabación de algunos diálogos de la fiesta de su cumpleaños, intercalados con algunos de cuando huyó de la policía y de su trabajo en la oficina

en Salta. Al final se escuchan las palabras de despedida del padre. Julio llora amargamente y se pregunta cómo pudo equivocarse tanto. Se cierra el telón.)

ACTO VI

(Julio retorna a Buenos Aires. Es el Día de la Madre. Observa la escena familiar del otro lado de la ventana. La familia no puede verlo, pero él observa todo lo que sucede allí adentro.)

ABUELA. —Lástima que Julito no esté con nosotros este día.

CONIE. —Bueno abuela, no estés triste. Piensa que estamos en un día muy especial, para ti y para mamá.

ABUELA. —Sí, pero es la primera vez que estamos sin él en el Día de la Madre.

CONIE. —Abuela, fue su decisión.

JOSE LUIS. —Hace casi un año que no tenemos noticias. Quizá ni siquiera esté en el país.

ABUELA. —No, él está cerca. Tengo ese presentimiento. ¿Se acuerdan de su último cumpleaños? Qué bien la estábamos pasando... hasta que nos dio la mala noticia.

CONIE. —Yo creo que Julio se ha olvidado de todos nosotros.

ABUELA. —Pero, ¿para qué han servido su plato entonces?

PADRE. —Mamá, se lo prometió cuando se fue y mantendrá esa promesa hasta que Julio regrese.

MADRE. —Tal vez no regrese nunca. *(Llora.)* Tal vez esté necesitándonos y no pueda comunicarse con nosotros... Tal vez esté solo...

PADRE. —Querida, no estés angustiada... Recuerda las palabras de la Biblia que tanto bien nos han hecho a lo largo de nuestras vida: "Echando toda vuestra ansiedad sobre él, porque él tiene cuidado de nosotros."

CONIE. —Sí, papá, pero, ¡qué triste esta fiesta sin Julio!

PADRE. —Es verdad... Recuerda que tú dijiste: "Fue su decisión." No estábamos de acuerdo, pero fue respetado. *(Hace una pausa y luego procura sobreponerse.)* ¿Qué les parece si antes de participar de la comida oramos a Dios y le pedimos que cuide a Julito en donde sea que se encuentre, y le haga sentir la necesidad de vivir confiando en Cristo?

MADRE. —Sí, que de alguna manera es lo que debiéramos estar haciendo esta noche.

ABUELA. —Se acuerdan del himno *(canta un poco.)* "Si él cuida de las aves, cuidará también de mí..." (Himno #484 del Himnario Bautista, 1978, Casa Bautista de Publicaciones.) ¡Ay, qué hermoso es!

JOSE LUIS —Oh, yo sí lo recuerdo mucho, abuela. Lo cantabas antes de ir a dormir. También nos contabas que la Biblia dice que Dios tiene el control absoluto de todas las cosas y que no había nada que escapara de su soberanía...

ABUELA. —Sí, recuerdo, pero no hables en pasado, Dios tiene el control y no hay nada que escape de su soberanía. Sigue siendo tan real como entonces.

CONIE. —Entonces, ¿por qué preocuparse?

PADRE. —No es que no tenemos que preocuparnos; somos humanos y como tales sentimos, sufrimos y vivimos. Lo que Dios nos dice es que si hay algo en la vida que nos agobia, que nos preocupa en exceso, eso debemos confiárselo a él en una actitud de fe.

MADRE. —¿Se acuerdan que cuando eran chicos les explicábamos qué es orar?

JOSE LUIS. —Sí, siempre recuerdo a papá diciéndonos: "Chicos, orar es simplemente hablar con Dios."

CONIE. —Sí, y cuando le preguntábamos como era posible que nosotros estuviéramos hablando con Dios, el creador de todas las cosas...

MONICA. *(Interrumpiendo.)* —Eso es lo maravilloso del amor de Dios, lo incomprensible que es que nos permita relacionarnos con él, y que nos acepte tales como somos.

ABUELA. —Adrián, ¿entonces por qué no oramos?

PADRE. —Sí, mamá, vamos a orar.

(Se toman todos de las manos. Mientras tanto, Julio observa toda la escena y a medida que el padre ora él comienza a arrodillarse en actitud de arrepentimiento.)

PADRE. —Padre nuestro que estás en los cielos, santificado sea tu nombre. Gracias por la salvación que ofreces a todos los que se acercan a ti en una actitud de arrepentimiento sincero. Con eterna gratitud recordamos tu llegada a este mundo para morir en una cruz y así darnos la posibilidad de relacionarnos contigo, tener una vida eterna a tu lado. Te pedimos por Julito. *(Se conmueve.)* El se fue como nosotros un día nos fuimos de ti sin importarnos nada, queriendo actuar como si tú no existieras; pero así como un día nos mostraste nuestro error, hazle ver a él su camino equivocado. *(Se escuchan varios ¡Amén!)* Permite que Julio vuelva a ti y a nosotros. En el nombre de Cristo Jesús oramos. Amén. *(Todos dicen ¡Amén! y luego se abrazan.)*

PADRE. —¿Qué sería de nosotros sin el Señor...?

MADRE. —¡Gracias a Dios por esta paz que nos brinda en los momentos de dificultad!

ABUELA. —¿Te ayudo a servir la mesa, Mónica?

MADRE. —Sí, Elvira, gracias. Supongo que tendrán hambre, ¿no?

JOSE LUIS. —¿Hambre? ¡Me siento como una fiera que hace un mes que no come!

CONIE. —Mi hermanito siempre el mismo exagerado.

JOSE LUIS. —Sí, tienes razón. Me siento como una fiera que hace 29 días que no come.

(Se ríen todos. Se sirve la comida y comienzan a comer. Suena el timbre.)

JOSE LUIS. —Te toca ir a abrir a ti, Conie.

CONIE. —¡Cómo que a mí! ¡Siempre a mí! ¡Cada vez que estamos en la mesa dices lo mismo! ¿Cuándo te levantarás e irás tú?

JOSE LUIS. —Tú sabes, hermanita, que soy una persona muy delicada y no puedo realizar grandes esfuerzos.

CONIE. —Los esfuerzos los realizamos nosotros para soportarte diariamente.

PADRE. —Bueno, bueno, no se peleen. José Luis, levántate y ve a ver quién es.

JOSE LUIS. —Voy, voy. ¡Siempre yo!

(José Luis retorna corriendo y con expresión de sorpresa.)

JOSE LUIS. —Mamá, papá...

MADRE. *(Asustada.)* —¿Qué sucede? ¿Por qué esa cara de pánico?

JOSE LUIS. —¡Es Julio! ¡Es Julio!

(Julio entra. La familia se para y se queda inmóvil de la sorpresa. El padre se acerca a Julio. Se miran fijamente.)

JULIO. —Papá... yo...

PADRE. —No digas nada, Julito. Te hemos perdonado.

(Se abrazan Julio y Adrián. Luego toda la familia. Emoción. Llanto de alegría y luego, telón lento.)

EL HOGAR DE LA VIUDA POBRE

José David Guevara Muñoz

PERSONAJES:
Rhode, la viuda pobre que ofrendó dos blancas.
Silas, joven que velaba por la anciana.

VESTUARIO:
Rhode, nombre ficticio de la viuda, viste ropas sencillas y camina lenta y un tanto encorvada, apoyada en un bastón; tiene el pelo canoso, la vista nublada y su voz suena agotada.

Silas, su amigo, luce una vestimenta en mejor estado, además de una piel bronceada debido a su oficio de pescador.

La viuda pobre (Rhode), a quien Jesús exaltó por ofrendar todo lo que tenía (Marcos 12:41-44 y Lucas 21:1-4), entabla un diálogo imaginario con un joven (Silas) que la aprecia y vela por algunas de sus necesidades. El diálogo se desarrolla, justo después de que Jesús viera a esta mujer ofrendando en el arca del templo. El mensaje central en este drama es: El amor a Dios debe ser lo más importante y central en la vida de cada miembro en el hogar. Este amor se debe demostrar no sólo de palabra sino también con hechos. Esto llevará a la familia a experimentar la bendición de Dios.

El drama se inicia con un escenario sin actores durante 10 segundos. Se trata del interior de una vivienda humilde (la casa de la viuda pobre), al estilo de la época de Jesús.

SILAS. *(Ingresa en el escenario lentamente. Primero llama desde afuera de la sala. Luego se asoma a la entrada de la casa y poco a poco, conforme no recibe respuesta, entra en actitud de búsqueda.)* —¡Rhode! ¡Rhode! ¿Te encuentras en casa? ¡Rhode! ¿Puedo pasar? Necesito hablar contigo, anciana querida, ¿estás en casa? *(Camina de un lado a otro llamando y buscando.)* ¡Rhode! ¿Dónde estás? ¿Estás descansando en tu cuarto? Dime si estás muy cansada y volveré más tarde. ¡Rhode! ¡Rhode! *(Se detiene, mira al públi-*

co.) Qué extraño, por lo general se encuentra en casa a esta hora. No imagino dónde pueda estar la viejita. Sólo espero que nada malo le haya ocurrido *(Se desplaza de un lado a otro, en actitud de reflexión.)* Pobrecita, está tan cargada de años que podría sentirse mal en la calle o ser víctima fácil de algún malhechor. *(Con exaltación.)* ¡Ay de aquél que se atreva a poner sus manos sobre ella para hacerle daño! Juro que yo no descansaría en paz hasta vengarla. *(Breve pausa.)* Tanto que le he dicho que trate de no salir mucho a la calle, pero no hay manera de que me haga caso. La verdad, no tengo derecho a exigirle que se quede dentro de estas cuatro paredes; a su edad y viuda debe ser muy difícil sobrellevar la soledad. Si a mí, que estoy joven y lleno de vida, me cuesta luchar contra ese sentimiento cada vez que me ataca, a ella, anciana y en los últimos días de su existencia le debe ser sumamente doloroso enfrentarse a la soledad. Recuerdo lo bien conservada que se mantenía hace unos 15 años; parecía que el tiempo no pasaba por su piel; pero de repente afloraron las arrugas, el andar pausado y la vista cansada. Pobre Rhode, tan feliz que era con Boanerges; ¡nunca vi matrimonio más unido y feliz! Estaban hechos el uno para el otro. Dios los creó para que se complementaran. *(Se sienta.)* Será mejor esperarla. No quisiera irme sin saber qué la ha atrasado. Quizá vendrá cansada o triste y necesitará de mi ayuda o consuelo *(Guarda silencio durante 15 segundos. Luego se pone de pie.)* Empieza a preocuparme este retraso, sé que no debería pensar en lo peor pero no encuentro una buena razón para tanta demora. No recuerdo que me haya dicho que iba a visitar a algún pariente o amigo. Ni siquiera la vi salir con la bolsa que siempre carga cuando va a dormir donde Marta; así que no entiendo la demora. *(Se sienta.)* La verdad, nada gano con preocuparme tanto. Debo confiar en que ella está bien, que nada malo le ha sucedido. Dios quiera que así sea pues no sé qué haría yo sin mi viejita del alma. *(Recuesta la cabeza y se queda dormido.)*

RODE. *(Aparece en escena, sin sorprenderse al ver a Silas en la casa.)* —Ah, muchacho este, no hace más que dormir en sus ratos libres. Y bien merecido lo tiene pues trabaja como un verdadero hombre. Pocas personas he conocido tan esforzadas con sus deberes. Sí señor, esa labor de pescador tiene molido a Silas, pero lo importante es que a él le gusta el trabajo en el mar de Galilea. ¡Es feliz viajando hasta Capernaum para dedicarse al remiendo de redes, reparación de botes y remos, y la pesca horas y horas bajo ese sol abrazador e inclemente! Por eso tiene la piel de ese color. Y pensar que hace poco era un muchachillo más blanco que la leche. Será mejor no despertarlo. Debe tener horas de sueño retrasadas, pues según me contó su mamá últimamente han tirado las redes de día y de noche. Menos mal que le dan varios días libres al mes, si no el pobre estaría muerto. *(La anciana se sirve un poco de agua de una vasija y se sienta a beber.)* ¡Uff! Cómo he caminado hoy, hasta siento los pies molidos. Gracias a Dios aún me queda un poco de vigor para poder salir y no tener que quedarme aquí encerrada, luchando con el recuerdo de mi amado Boanerges. Mientras el Altísimo me dé fuerzas no voy a dejar de ir al templo. Es cierto que los mercaderes hacen mucha bulla, pero lo que vale no es lo de afuera sino la actitud interna, el espíritu con que uno adore al Dios de Abraham, Isaac y Jacob. Bendito sea el Señor porque en su casa de adoración hay lugar hasta para una viuda pobre como yo. Cómo me gusta estar en la casa del Señor, alabándolo por sus infinitas misericordias, por su fidelidad conmigo todos los días de mi vida. Bien dijo David: "Yo me alegré con los que me decían a la casa de Jehová iremos." *(En ese momento Silas comienza a despertar. Estira los brazos y bosteza. Rhode se acerca y lo abraza a medias para disuadirlo de despertarse.)* —No te levantes muchacho, sigue durmiendo, tienes que estar bien descansado para la próxima jornada de pesca en el mar de Galilea.

SILAS. *(Hace caso omiso de las palabras de la anciana. Realiza un último esfuerzo por despertarse y luego se pone de pie para abrazar a Rhode.)* —¡Mi viejita querida! ¿Cómo has estado? Tantos días sin verte. *(Rhode corresponde el abrazo y sonríe.)* Bueno, esta mañana te vi cuando salías, pero no quise llamarte pues ibas de prisa. ¿O me equivoco, abuelita paseadora?

RHODE. *(Coloca sus dos manos sobre las mejillas de Silas, por pocos segundos, y le habla con mucho cariño.)* —¡Cómo eres! ¿Por qué no me llamaste? Bien sabes que mis nublados ojos se alegran cuando te ven, que mis oídos se gozan cuando te oyen y que mis brazos se abren cuando te encuentro. Siempre es un placer escuchar la voz del hijo que quise haber tenido.

SILAS. *(En tono tierno.)* —Sufres mucho por eso, por el hijo que nunca tuviste, ¿verdad abuela?

RHODE. —Pues así como sufrir mucho, no. No niego que sí me hubiera gustado ser madre, pero el Altísimo, en su infinita sabiduría, sabrá por que no me lo permitió, pues perdí a mis niños las únicas dos veces que estuve encinta; la última vez me faltaban tres semanas para dar a luz. ¡Fue tan triste!

SILAS. *(Toma a Rhode de un brazo y la invita a sentarse junto a él.)* —¿Nunca te has enojado con Dios por eso y por haberte quitado a tu marido sin dejarte un hijo?

RHODE. *(Serena.)* —¿Enojarme con mi Señor? ¿Cómo podría enojarme con quien me ha dado vida, sustento, salud, y tantas y tantas bendiciones? Mi corazón agradecido no podría estar enojado ni resentido con el amor de mi vida.

SILAS. *(Extrañado.)* —Abuela, creo que te confundiste. Te estaba hablando de Dios y te referiste a tu marido.

RHODE. —No Silas, el confundido eres tú, pues en ningún momento he mencionado a mi recordado Boanerges.

SILAS. —Perdón abuela, pero sí te confundiste. Prueba de ello es que hablaste del amor de tu vida y no de Dios, acerca de quien yo te interrogué.

RHODE. *(Enfática.)* —Por eso mismo, ¿quién es el amor de mi vida sino sólo Dios?

SILAS. *(Muy extrañado.)* —¿Dios? ¿El amor de tu vida es Dios? Tenía entendido que era tu difunto marido. Al menos así me pareció las tantas veces que los vi juntos.

RHODE. —No, Silas querido, Boanerges fue un gran marido,

sería injusto negarlo. Junto a él disfruté momentos muy especiales e inolvidables, pero su ternura, cariño, lealtad y entrega nunca fueron ni siquiera parecidos al amor de Dios. El amor de Boanerges fue grande, inmenso, muy especial, pero nadie supera a Dios en amor. Por eso afirmo que él ha sido, es y será el amor de mi vida.

SILAS. *(Se pone de pie y camina de un lado a otro, despacio y en actitud reflexiva.)* —Y yo que siempre creí que Boanerges era el amor de tu vida, el centro de tu existencia, lo más importante para ti. *(Se detiene frente a Rhode.)* ¡Y hay tanta gente que también lo cree!

RHODE. —Hijito, no tienes que alarmarte de que no haya sido así, porque yo tampoco, aunque te parezca extraño, fui el gran amor de Boanerges...

SILAS. *(Interrumpe de inmediato.)* —¡Pero abuela! ¿Qué estás diciendo? ¿Cómo que no fuiste el gran amor de Boanerges?

RHODE. *(Levanta la mano para indicarle a Silas que calle. Luego lo hala para que se siente a su lado.)* —Déjame terminar, recuerda que en tu casa siempre te han enseñado a no interrumpir a las personas mayores cuando éstas están hablando. Sé que todo esto te suena muy extraño, pero lo comprenderás una vez que termine de explicártelo.

SILAS. *(Sereno.)* —Esta bien abuela. Disculpa la interrupción, prometo no molestar más.

RHODE. —Escúchame con atención y no hagas preguntas ni comentarios hasta el final. Como te dije, el gran amor de mi vida ha sido Dios y no Boanerges, y el gran amor de Boanerges fue Dios y no yo. Lo que quiero decir es que mi marido y yo llegamos a amarnos tanto, respetarnos tanto y disfrutar de un matrimonio tan ejemplar gracias a que amábamos más a Dios que a nosotros mismos. Para que el amor reine en un hogar, con o sin hijos, lo más importante es que todos sus miembros amen a Dios por encima de todas las personas, metas y cosas. Yo amé a Boanerges y aún lo amo, aunque no esté a mi lado, y Boanerges me amó como nunca amó a mujer alguna, y nuestro amor llegó a ser tan sólido y tan leal gracias a que siempre estuvo apoyado sobre la única base inquebrantable y firme que existe: el amor a Dios.

SILAS. —¿El amor a Dios?

RHODE. —Eso mismo hijito, el amor a Dios por sobre todas las personas y cosas. Tal como escribió Moisés: "Oye, Israel; el Señor nuestro Dios, el Señor uno es. Y amarás al Señor tu Dios con todo tu corazón, y con toda tu alma, y con toda tu mente y con todas tus fuerzas." Estas palabras no fueron escritas para adornar la Ley o para que las recitáramos de memoria; no, fueron escritas para cumplirlas, aplicarlas a nuestras vidas, y eso incluye el hogar. La familia que desee ser feliz, convivir en armonía a pesar de las diferencias que siempre se presentan, tiene que amar a Dios con todo el corazón, con toda el alma, con toda la mente y con todas las fuerzas. De otra manera, gozará de una felicidad a medias, ficticia, no sustentada en una roca firme.

SILAS. *(Se pone de pie y camina de un lado a otro, en actitud reflexiva.)* —¿Será por eso que muchos hogares se desintegran, porque sus miembros se aman más los unos a los otros que a Dios? ¿Será por eso abuela?

RHODE. —No me cabe la menor duda. Resulta fácil la desintegración de un hogar que no esté apoyado en el amor al Señor. Nuestro amor a Dios debe ser un amor auténtico, respaldado por los hechos y no sólo por las palabras.

SILAS. —Ahora entiendo; por eso toda la gente admiraba tu relación con Boanerges; por eso siempre los ponían como ejemplo de un matrimonio ideal. Cuando Susana se casó con Tomás, mamá le dijo que ojalá esa unión resultara ser como la de Rhode y Boanerges.

RHODE. —Déjame decirte esto, mi querido Silas. El matrimonio ideal no es el que se sirve de Dios para ser feliz, sino el que sirve a los ideales de Dios.

SILAS. —Pero Rhode *(vuelve a caminar)*, Ahora Boanerges no está contigo...

RHODE. —¡Correcto! Boanerges no está, pero Dios sí. Por eso

ahora lo amo más. Silas, la muerte de mi marido no enfrió mi relación con Dios; más bien la afianzó, la depuró, la consolidó, porque descubrí que el amor de Dios es el único que no es temporal, sino eterno. El amor humano se trunca cuando la muerte ataca, pero el amor de Dios, el amor de mi Señor, es más poderoso que la muerte. ¡Nada nos separa del amor de Dios! Y cuando digo nada, me refiero a absolutamente nada; lo digo por experiencia propia. *(Breve pausa.)* Por eso voy cada día a su templo. Por eso me deleito en su casa, porque él y sólo él es el amor de mi vida.

SILAS. *(Se sienta.)* —¡Supongo que por eso te atrasaste en llegar, vieras lo preocupado que me tuviste!

RHODE. *(Toma las manos de Silas.)* —Hijito, no uses la palabra atraso porque nadie se atrasa por estar en la casa de Dios; más bien es un deleite estar allí, y no sólo estar sino también ofrendar, dar lo mejor al Señor como muestra de agradecimiento por tanta misericordia.

SILAS. *(Levantando un poco la voz.)* —No me digas que volviste a ofrendar todo lo que tenías, todo tu sustento.

RHODES. —Por supuesto que sí hijito, eso acabo de hacer en el arca del templo.

SILAS. *(Como reclamando.)* —Pero Rhode, ¿cuándo vas a entender que no tienes que depositar tu sustento en el arca de la ofrenda? ¿Cuántas veces tengo que decirte que uno ofrenda cuando puede y no cuando quiere?

RHODE. —No señor. Estás muy equivocado con esa manera de pensar. Demostrarle el amor a Dios no es algo que se hace cuando se puede y no cuando se quiere; ¡siempre hay que querer porque siempre se puede!

SILAS. —Pero es que tú no puedes siempre, reconócelo. Disculpa que te lo diga así tan crudamente, pero eres una viuda pobre.

RHODE. *(Un poco enérgica.)* —Pobre en lo material, pero rica en lo espiritual, por eso doy todo lo que tengo y no lo que me sobra. Sería muy fácil para mí intentar probarle a Dios mi amor mediante los recursos que me sobran, aquello que no me hace falta, ¿pero sería eso una muestra de amor auténtico? ¿No sería más bien un remedo de amor? ¡Mi Dios merece lo mejor! ¡Mi Dios no es un mendigo que pide limosna en el templo! ¡Mi Dios no se agrada con los amores a medias, con los amores baratos!

SILAS. —¿Qué quieres decir con eso de amores baratos?

RHODE. —Amores que no implican sacrificio. Amores en los que se comparten sobras, lo que nadie ocupa, y no lo mejor que se posee. Es más, éste tipo de relaciones no merecen ser catalogadas como amor, pues en el amor se ofrece lo mejor. Tú amas a tu madre, por eso le das lo mejor. Amas a tu padre, por eso le das lo mejor. Y me amas a mí, por eso me das lo mejor aunque no seamos parientes. ¡Eso es amor mi querido Silas, dar lo mejor! Por eso le doy lo mejor a mi Señor. Por eso no dudo en ofrendar todo cuanto tengo, porque lo que tengo él me lo ha dado. Por eso he echado las dos blancas en el arca del templo.

SILAS. *(Coloca ambas manos sobre los hombros de la anciana y le habla con dulzura.)* —Pero abuela, Dios no necesita esas dos blancas. El tiene mucho dinero más, producto de las grandes cantidades que ofrendan los ricos.

RHODE. *(Acaricia la cabeza de Silas.)* —¿Y crees que ellos echan lo mejor, lo que no les sobra? No hijito, ellos le dan sobras a Dios, lo que no hace falta en sus enormes y lujosas casas.

SILAS. —Bueno, pero al menos ofrendan responsablemente pues no comprometen el bienestar de los suyos.

RHODE. —Silas, no confundas responsabilidad con egoísmo; son dos actitudes muy diferentes. El egoísmo nunca es responsable, la generosidad sí, y con mucha más razón la generosidad que nace del amor a Dios.

SILAS. —Volvemos a lo que ya hablamos.

RHODE. —Es importante que lo hagamos porque se trata de lo mismo. Si digo que amo al Señor mi Dios con todo mi corazón, con toda mi alma, con toda mi mente y con todas mis fuerzas, tengo que demostrárselo con todo mi corazón, con toda mi alma, con toda mi mente y con todas mis fuerzas. De otra manera, lo estaré amando de la boca hacia afuera pero no de la boca hacia adentro, que es como él quiere que lo amemos. *(Pasa a un tono de voz más moderado para decir lo siguiente.)* Mira Silas, una mañana, quizá unos dos años antes de enviudar, Boanerges y yo amanecimos sin nada que comer durante ese día debido a que él se había quedado sin trabajo por causa de su enfermedad. Pensamos que podríamos subsistir ese día bebiendo agua y nada más, pero al caer la noche el hambre empezó a golpearnos. Boanerges, enfermo como estaba, salió a buscar algo para comer. Yo no quería que saliera, pero él insistió por el amor que me tenía. Regresó dos horas más tarde, luego de caminar y caminar, y pedir y pedir. Entró muerto de frío a la casa, todavía me parece verlo allí parado. *(Dirige la mirada hacia la puerta.)* Me llamó a la mesa y me sirvió una porción de pan que quise compartir con él. Pero él se resistió, me dijo que no me preocupara, que él ya había comido pan. Aún así insistí en obsequiarle un trozo, pero lo rechazó y volvió a decirme que no me preocupara por él pues ya había comido pan. Al día siguiente me enteré, sin andarlo investigando, que el pan lo había comprado con las únicas dos blancas que le quedaban, las cuales le alcanzaron sólo para la porción que me trajo. Es decir, Boanerges, por el amor tan grande que me tenía, antepuso mis intereses a los de él. Si no me hubiera amado, poco le habría importado mi necesidad, se habría interesado primero por él. *(Breve pausa.)* Eso es exactamente lo mismo que hago siempre y que acabo de hacer en el templo con las únicas dos blancas que me quedaban, dárselas a Dios porque lo amo más a él que a mí y porque me preocupo más por sus intereses que por los míos. Eso es amor Silas, amor en acción, amor generoso.

SILAS. —Sí, claro, amor generoso, pero te quedas con hambre, ¿y quién se ocupa de eso si yo no estoy para traerte comida?

RHODE. —Se ocupa Dios, quien nunca me ha abandonado en mi viudez. Es verdad mi hijito que el pan nunca ha faltado en mi mesa. En algunas ocasiones Dios me ha provisto el sustento a través de ti, en otras oportunidades ha tocado el corazón de otras personas y así sucesivamente. Silas, Dios siempre ha velado por mi pan. Yo he llevado todos mis diezmos y más al alfolí, y él ha abierto las ventanas de los cielos, y derramado sobre mí sobreabundantes bendiciones. La mano generosa del Señor nunca se ha apartado de esta casa, pues aquí siempre se le ha ofrecido lo mejor. Aprende la lección hijo mío, el día que formes un hogar tienes que velar porque tú, tu esposa y tus hijos amen a Dios con todo el corazón, con toda el alma, con toda la mente y con todas las fuerzas. Sólo así se le ofrece lo mejor al Señor. Sólo así se le ofrenda con generosidad. Sólo así se le ama de manera auténtica. *(Abraza a Silas y permanecen en esa posición.)*

(La obra concluye con los dos actores abrazados y con la lectura, por parte de alguien fuera de escena, de Marcos 12:41-44.)

INSTRUYE AL NIÑO EN SU CAMINO

(Proverbios 22:6)

María A. Ros Moreno

PERSONAJES:

Celia, la madre, señora joven.
Samuel, hijo de Celia, cuando niño.
Eva, hija de Celia, cuando niña.
Laura, una vecina de Celia, señora joven.
Pablo, esposo de Celia, señor joven.
Ana, madre de Celia.
Chema, hijo de Laura, un joven.
Samuel, hijo de Celia, cuando joven; después
 como anciano.
Eva, hija de Celia, cuando joven; después como anciana.
Elena, amiga de Samuel y Eva, una joven.
Narrador.

(Se abre el telón y aparece una madre y sus dos hijos en actitud de oración.)

CELIA. —Señor, te damos las gracias por el descanso de la noche; por este nuevo día que nos permites vivir, y por cuantas bendiciones nos vas a dar en él. Perdona nuestras faltas, y que tu Espíritu Santo ponga en nosotros todo lo que necesitamos para andar dignamente en tus caminos. Todo te lo pedimos, dándote las gracias, en el bendito nombre de Jesús. Amén. *(Todos al mismo tiempo.)*

(Los niños, jugueteando, cogen sus bocadillos y sus carteras, y se disponen a marchar al colegio.)

EVA. —¡Mamá, no te olvides de arreglar la caseta de nuestro perro Sultán! Quedó hecha un desastre después de que se pusiera a perseguir a la lagartija que se metió dentro. ¡Ja,

96

ja, ja, ja! *(Ríen todos.)* ¿Sabes, mamá?, cada día estoy más contenta con nuestro perro. ¡Es tan gracioso!

SAMUEL. *(Dando un pequeño salto.)* —¡Yo también! ¡Es mi mejor compañero de juegos! ¡Ah!, ¿te has acordado de poner chorizo para mi comida? El que me pusiste ayer estaba sobreasado y no me gustó.

CELIA. —Sí, Samuel, y también te he puesto una manzana muy roja, de esas que tanto te agradan. Pórtense bien en el colegio, hijos míos. Estudien mucho, y, sobre todo, procuren dar buen testimonio en todo momento. *(Los dos niños contestan al mismo tiempo.)*

SAMUEL Y EVA. —¡Sí, mamá!

EVA. —¿Por qué nos dices siempre lo mismo, mamita?

CELIA. —Porque es muy importante que la gente vea en nosotros un comportamiento correcto; que seamos educados, agradables y serviciales. Al Señor le agrada que sus hijos sean así.

SAMUEL. —¡Vale, mami! Nos vamos ya, si no perderemos el autobús.

EVA. —¿Vendrás a esperarnos luego?

CELIA. —¡Claro que sí! *(Los niños besan a la madre, y salen corriendo.)*

(La madre, con una sonrisa en los labios, los ve marcharse. Permanece unos momentos pensativa, mientras los hijos se alejan.)

CELIA. *(En voz alta, suspirando, y moviéndose resueltamente.)* —¡Voy a fregar los vasos del desayuno! *(Pone la radio, busca algún programa interesante, pero, como no lo encuentra, la apaga y se encoge de hombros.)* Esta mañana no hay ninguna emisora que merezca la pena oírse. *(Se dispone a fregar los vasos, y comienza a tararear una canción, como si estuviera inspirada y componiéndola en ese instante.)* ¡Bendito y alabado seas por siempre, Señor! ¡Qué gozo y qué privilegio es cantar a tu santo nombre! *(Hace un gesto con los labios y chasquea los dedos.)* ¡Cogeré la guitarra! ¡Con ella siempre puedo plasmar en canciones lo que tú pones en mi corazón! *(Toma la guitarra, se sienta, hace como que coordina unos campases, y después, canta una canción reflejando en su rostro gran gozo. Cuando termina de cantar, llaman a la puerta. Ella deja la guitarra apoyada en un lado y va a abrir.) (Al hacerlo, ve que es Laura, una de sus vecinas.)*

LAURA. —¡Buenos días, Celia! ¡Hay que ver lo contenta que estás siempre, se nota que tus problemas brillan por su ausencia!

CELIA. *(Sonriendo e invitándola a pasar con un gesto de la mano.)* — ¡Buenos días, Laura! Yo, como todo el mundo, tengo mis dificultades, pero el Señor está conmigo dándome fuerzas en todo momento, por eso me ves con alegría en mi corazón. Sé que él me ama y que ese amor inmenso le llevó a morir por mí, y por ti, y habiendo confesado nuestros pecados y reconociéndole como Señor y Salvador de nuestras vidas podremos un día morar con él eternamente. ¿No te parece hermoso?

LAURA. —Mira, Celia, a mí me parece maravilloso el que tú seas feliz pensando así, pero la verdad es que me suena como una historia de ciencia-ficción. ¿Alguien llamado Dios, que deja su trono y comodidad en el cielo para venir a morir por nosotros? ¿Vida después de la muerte? Creo que nadie perdería, aunque fuera temporalmente, una serie de privilegios para convertirse en alguien de condición sumamente humilde, torturado, humillado y condenado a una muerte que sólo se aplicaba a los peores delincuentes. Y en cuanto a lo de que existe otra vida después de ésta, está demostrado por los científicos que tan sólo somos energía, y la energía, según dice el "principio de conservación", ni se crea ni se destruye, únicamente se transforma.

CELIA. —El hombre, además de energía, como tú dices, también es espíritu. Oro al Señor para que un día lo entiendas y, por fe, sé que lo harás.

LAURA. —¡Sí me gustaría, pues veo el resultado benéfico que

tiene en tu vida! En fin, no se cómo, ¡pero siempre acabamos hablando de lo mismo! *(Se levanta y, apartando la silla, hace ademán de marcharse.)* Después de comer vendré a que me invites a tomar café, y charlaremos un ratito más. ¡Ah!, cuando recojas a tus chiquillos, no te olvides de traer también a mi hijo Chema. ¡Son inseparables! *(Sale.)*

CELIA. —¡Adiós, Laura! *(Cierra la puerta, entorna los ojos y ora.)* ¡Dios mío, cuánta dureza hay en el corazón de quienes no te conocen, ni hacen nada por conocerte! Obra tú en la vida de Laura y en la de su familia, para que también ellos lleguen a sentir un día lo mismo que yo siento por ti. En Jesús, amén. *(Se queda en esta postura mientras se cierra el telón.)*

ACTO II

(Se abre el telón y entran los niños en el escenario corriendo, dando saltos y llamando a su madre.)

EVA. —¡Mamá, mamá, ven enseguida, mira quién ha venido! *(Entra también en escena la abuela, sonriendo y abrazando a sus nietos.)*

SAMUEL. —¡Es la abuela Ana..., es la abuela Ana!

EVA. *(Mirando muy enfadada a su hermano.)* —¡Eres un chismoso! ¿Por qué lo has hecho? ¿No ves que queríamos darle una sorpresa a mamá?

ANA. *(Intentando poner paz.)* —¡Vamos, no os peleéis! ¡No tiene importancia! *(Se oye de fondo la voz de Celia.)*

CELIA. —¡Voy ahora mismo! *(Entra después en escena. Mientras habla a su madre le da un abrazo y un beso.)* ¡Mamá! ¡Qué alegría! ¿Por qué no nos avisaste de tu venida? Pablo hubiera ido a recogerte con el coche a la parada del autobús.

ANA. *(Correspondiendo a las muestras de cariño de su hija.)* —Ya sabes que no me gusta demasiado hablar por teléfono. ¡Me apetecía llevar hoy a los niños al campo!

EVA Y SAMUEL. *(Saltando de alegría.)* —¡Olé!, ¡olé!, ¡vamos a ver las vacas y las gallinas que tiene la tía Julia!

EVA. —¿Nos dejarás, mamá?

ANA. —Mientras tanto, abran estos regalos que os he traído. *(Los saca del bolso y se los da.)*

EVA Y SAMUEL. —¡Qué bien..., qué bien! *(Los desenvuelven y muy contentos los miran. Se dirigen de nuevo a su madre.)* ¿Qué respondes, mamaita?

CELIA. —¿Vosotros sabéis qué día es hoy?

SAMUEL. —¡Claro..., domingo!

CELIA. —¿Y qué solemos hacer en este día?

EVA. —Por la mañana vamos a la escuela dominical, y por la mañana y por la tarde damos culto al Señor, porque papá y tú nos habéis enseñado que éste es su día especial.

ANA. —¡Hija de mi vida, desde luego que sois exagerados y fanáticos! ¡Como si las criaturas no tuvieran derecho a ver ese día las películas que dan por la mañana y la tarde en la tele; ir a bañarse o hacer ejercicio en el campo!

SAMUEL. —¡Es verdad! Mamá, yo quiero irme con la abuela al campo, y luego ver la película de Supermán que dan en la tele.

ANA. *(Contenta por ver que el niño le da la razón.)* —¿Ves? ¡No tienes ninguna psicología! ¡Hoy se enseña que hay que respetar la libertad de los niños! No se les puede obligar a hacer las cosas por el hecho de que los adultos lo creamos necesario. ¡Todo eso puede crearles muchos traumas!

CELIA. —Mamá, si aplicamos tu "psicología", el 90 por ciento de los niños serían analfabetos, ya que son muy pocos los que van con agrado a la escuela. Sin embargo, los padres, sabiendo que es bueno para ellos les obligamos a asistir, cosa de la que, después, ni ellos ni nosotros nos arrepentimos, porque es realmente positivo y necesario.

ANA. *(Mostrando desdén.)* —¡Válgame Dios! No vayas a comparar la necesidad que tienen los niños de estudiar, para, en el futuro tener acceso a un trabajo, con el hecho de asistir a la escuela dominical para aprender de la Biblia, y dar culto a Dios todos los domingos como si fueran viejas beatas.

(Aparece el marido de Celia y sonriendo, abraza y saluda cariñosamente a su suegra.)

PABLO. —¡Buenos días, querida Ana! ¿Cómo te encuentras?

ANA. —¡Algo enfadada por la forma en que tratáis a los chiquillos en su tiempo libre, impidiendo que se diviertan!

PABLO. —Hay otros días, aparte del domingo, en los que pueden hacer todas esas cosas que antes decías. Mientras me arreglaba estaba escuchando cuanto hablabais, y te puedo decir que en el colegio, el instituto y la universidad les enseñan cultura y conocimientos que les van a ayudar a ser trabajadores competentes, y ganarse el pan de cada día, ¡si pueden encontrar empleo! En la iglesia y en el hogar les enseñamos a conocer a Dios, mediante su Palabra, y que solamente en él hay salvación; certeza de vida eterna. El cuerpo se va desgastando, y la vida llega un día a su fin en esta tierra. En ese momento de nada sirven los conocimientos intelectuales, la profesión, la comida. Ese propósito deja de ser válido en el instante en que finaliza la estancia del ser humano en el mundo, pero el aceptar al Señor y aprender qué es lo que quiere que hagamos, es algo que da fruto abundante en esta y en la otra vida.

ANA. —Mira, Pablo, la sabiduría popular dice que "el muerto al hoyo, y el vivo al bollo". Nadie ha vuelto jamás para decir si existe algo más allá de la muerte. ¡Esta vida son dos días, y hay que pasarla lo mejor posible! ¡Pensar lo contrario es de locos!

PABLO. —Pues, si el gozo y la esperanza que hay en nosotros es de locos... ¡bendita locura! *(Sonriendo con alegría.)*

CELIA. *(Cogiendo la chaqueta e iniciando el camino hacia la puerta.)* —Mamá, si lo deseas, y ello me haría muy feliz, puedes venir con nosotros. Si no, quédate en casa hasta que volvamos. Nuestra asistencia al templo es totalmente voluntaria, y nos gozamos estando junto a los hermanos aprendiendo cada día más de la Palabra de Dios, y alabándole con alegría.

ANA. —Otro día iré, por curiosidad. Ahora mejor me quedo y los espero.

TODOS. —¡Hasta luego!

ANA. —¡Adiós! *(Se queda pensativa. Bebe un poco de agua y, después, habla consigo misma en voz alta.)* Ciertamente es extraño encontrar hoy día gente como ésta. Son firmes en sus creencias, y, aunque me cueste reconocerlo, dignos de todo respeto por su fidelidad. ¡Qué diferencia de mis otros dos hijos! Ellos tienen una posición económica mucho más holgada que éstos, pero ya quisiera yo ver en sus ojos la misma paz. *(Se sienta.)* Aquellos sólo se afanan por tener esto y lo de más allá; éstos son felices con lo que tienen, y no se angustian. *(Apoya la cabeza en sus manos.)* ¡Señor! ¿Será posible que tú estés ahí, esperando que te abramos la puerta de nuestro corazón, para regalarnos la vida que ya disfruta esta parte de mi familia? ¡Ayúdame a responderte..., y dame aunque sea un poco de esa bendita locura! *(Se cierra el telón.)*

ACTO III

(Antes de que se abra el telón, se escucha la voz del narrador.)

NARRADOR: Han pasado 10 años.

(Se abre el telón, y aparece un joven, tendido en el sofá, leyendo una revista y escuchando música estridente. Se oye la voz de una mujer, dirigiéndose a él.)

LAURA. —¡Chema, aquí hay unos muchachos que preguntan por ti! *(Chema sentándose en el sofá y apagando el tocacasete, mira extrañado hacia la puerta. Entran Samuel, Eva y Elena. Chema, al reconocer a sus amigos de la infancia, se levanta y, abriendo los brazos, los estrecha con gran alegría.)*

CHEMA. —¡Hola!, ¡Pero qué sorpresa más grande! ¡Ni por un momento pensé que eran ustedes! ¿Quién es esta chica que os acompaña?

SAMUEL. —Se llama Elena, y hace unos meses que aceptó a Jesucristo. Va al mismo templo evangélico que nosotros.

ELENA. —¡Hola Chema! Me alegro de conocerte, pues Eva y Samuel siempre están hablando de ti. *(Le estrecha la mano.)*

CHEMA. —Mucho gusto, Elena. Lamento que estos pelmas te hayan dado la lata conmigo, son unos pobres sentimentales. *(Sonríen todos.)*

SAMUEL. —Por tu madre nos enteramos que habías llegado anoche para disfrutar de unos días de vacaciones. Hemos venido corriendo. Sabes que te echamos mucho de menos.

EVA. —¡Es cierto! Añoramos los ratos que pasábamos juntos antes de irte a la universidad; hablando de nuestras ilusiones; compartiendo nuestros problemas; asistiendo a la escuela dominical o a las reuniones de jóvenes...

ELENA. *(Dirigiéndose a Chema.)* —¿Tú eres miembro de nuestra iglesia?

CHEMA. —¡No, pero desde niño les he acompañado muchas veces! ¡Claro que eso queda tan atrás! Ahora he descubierto una vida totalmente distinta. ¡Estoy disfrutando de la libertad a todos los niveles! ¡Es fabuloso no tener muros ni barrotes que te impidan hacer aquellas cosas que verdaderamente te ayudan a conocer la vida, y bebértela con el mismo placer que una cerveza fresca en el verano! ¡Vivir a tope! ¡Eso es lo único que merece la pena! *(Chema ve que Eva, Elena y Samuel le miran con mucha tristeza. En ese momento, entra la madre, trayéndoles unos vasos de refresco.)*

LAURA. —¿Os apetece un refresco? Hace un poco de calor. *(Todos contestan que sí, y le dan las gracias por su amabilidad.)* No tenéis que darme las gracias, para mí es una alegría volver a veros juntos. ¡Me voy y os dejo tranquilos, para que podáis seguir hablando de vuestras cosas! *(Les sonríe y se marcha. Hay un pequeño silencio, mientras beben unos sorbos de refresco.)*

CHEMA. —¿Qué os pasa? Parece como si al escucharme os hubieseis puesto tristes. ¿Por qué?

SAMUEL. —¡Te vemos realmente cambiado, no sólo en tu rostro, sino en tu interior!

CHEMA. —¡Así es! Vosotros estáis en Babia. Andáis "colgados" a una manera de vivir y concebir las cosas, que está totalmente pasada de onda. ¡La iglesia! ¿Acaso es ese lugar para un joven lleno de energía y ganas de pasárselo regio?

EVA. —No creo que juventud sea sinónimo de falta de control, de ausencia de valores morales de prototipo de "muñecos" y marionetas en manos de la sociedad de consumo, de búsqueda constante de nuevas sensaciones sin pensar en las consecuencias que pueden acarrear. También nosotros somos jóvenes, y lo pasamos bien, a nuestra manera, y con nuestros amigos de la iglesia. De una forma sana, y no por ello aburrido.

CHEMA. —Mira, Eva, yo os aprecio mucho, pero vosotros sois unos puritanos. Os lo están inculcando desde que sois pequeños y, al final, han hecho de vuestra vida algo "rancio".

ELENA. *(Levantándose y paseando por el escenario.)* —¿Y qué sensación te deja a ti, POR DENTRO, esa vida tan "extraordinaria" *(En tono burlón.)* ¿Qué has descubierto? ¿Eres feliz?

CHEMA. —¿Acaso la felicidad es un estado permanente? Tan sólo son breves momentos que se presentan, y hay que aprovecharlos al máximo. Los malos ratos no hay quien te los quite y, cuando llegan, pues a fastidiarse toca. Aún así, también existen maneras de "evadirse" aunque sea por unas horas, de la angustia que a veces te produce vivir en este mundo absurdo.

ELENA. —Esa es la realidad del hombre que camina sin Dios.

Todo el que no tiene al Señor en su vida, llenándole, está repleto de un inmenso vacío, que pretende llenar con su propio "ego". ¡La vida del cristiano es tan diferente!

EVA. —Dices bien cuando apuntas que fuimos enseñados desde niños a caminar de forma distinta a como lo hacen los demás, pero un día comprendimos, de una manera personal con el Señor, que ciertamente él es el Camino, la Verdad y la Vida. Eso nos ayuda a seguir adelante, y a intentar transmitírselo a las personas que, como tú, viven una vida vacía y derrotada. No Chema, ni las discotecas, ni el alcohol, ni el sexo libre, ni la droga llevan el signo de la victoria.

CHEMA. *(Bajando la cabeza, y suspirando con cansancio.)* —Tal vez tengáis razón, y yo haya perdido un poco el norte de mi vida. En las enseñanzas y el ambiente de la universidad te inculcan tanto materialismo, que resulta realmente difícil no ser alcanzado por él.

SAMUEL. —Nosotros tampoco somos perfectos, Chema, pero tenemos un Padre tan maravilloso que, cuando caemos, siempre nos tiende la mano. Cada día nos da la oportunidad de comenzar de nuevo.

CHEMA. *(Abrazándose a los dos amigos, muy afectado.)* —¡Había olvidado lo que me hablasteis durante años! ¡Vosotros sí que sois realmente mis amigos! También yo quiero vivir esa vida plena que decís, y pido al Señor que llene el vacío de mi ser con la plenitud de su misericordia.

EVA, ELENA, SAMUEL. —¡Alabado sea el Señor!

EVA. *(Muy sonriente.)* —¡Ahora, vente con nosotros a casa y merendaremos allí. Nuestros padres se alegrarán de volver a verte.

CHEMA. *(Sonriendo feliz.)* —¡De acuerdo, vamos allá! *(Salen todos juntos, sonriendo y hablando entre ellos.) (Se cierra el telón.)*

ACTO IV

NARRADOR. Han pasado muchos años, y los hermanos, después de haber estado separados durante largo tiempo, se encuentran charlando en casa de Eva.

(Se abre el telón y aparecen dos ancianos tomando café alrededor de una mesa.)

SAMUEL. *(Moviendo el café con la cuchara y mirando con gran ternura a su hermana.)* —¡Cuánto tiempo ha pasado, desde la última vez que nos vimos! ¡Te encuentro tan cambiada!

EVA. *(En la misma actitud que Samuel.)* —¡Ay, Samuel, me he sentido tan feliz al poder abrazarte de nuevo! ¡Añoraba tanto tu presencia! *(Sonriendo.)* ¿Y dices que estoy cambiada? ¡Claro, igual que tú! Yo tengo ya 70 años, dos menos que tú. *(Riendo abiertamente.)* ¿Acaso piensas que aún somos esos pequeñuelos que corríamos detrás de Sultán, mientras papá hacía aquellos churros tan deliciosos y mamá preparaba el rico chocolate a fuego lento, muy lento? ¡Ha llovido mucho desde entonces!

SAMUEL. *(Levantando la cabeza, con la mirada perdida.)* —¡Papá y mamá! ¡Qué recuerdos tan hermosos me traen a la memoria! Pensando en ellos me siento como si todavía fuera un niño. ¡Nos dieron tanta ternura! ¡Nos quisieron con tanta sabiduría, paciencia y compresión...!

EVA. —Y cuando lo precisábamos, con mano firme. *(Riendo.)* ¿Se te ha olvidado aquella vez que echaste un gusano muy grande en el cocido? ¡Mamá se enfadó mucho, y te estuvo persiguiendo por toda la casa para darte con el cucharón! *(Ríen.)* Tú le dijiste que era para que hubiera más carne a la hora de repetir! ¡Sólo tenías 6 años!

SAMUEL. —¡Pero no me alcanzó! Aquel día había venido la abuela Ana, y nos trajo un regalo a cada uno. ¡Fui tan dichoso otro día, varios años después, cuando nos acompañó al templo! Nuestro pastor dijo que si alguien quería pasar al frente y dar testimonio de haber aceptado a Cristo. Ella esperó unos minutos, pero después, muy lentamente, y con lágrimas en los ojos, fue hacia él y dijo que aceptaba a Jesús, y que anhelaba sentirse rodeada por el inmenso amor de su Salvador. A nuestros tíos les sentó fatal aquella decisión, pero ella se mantuvo firme hasta el final de sus días.

EVA. —Sí, aunque hace muchos años, lo recuerdo perfectamente. ¡Ah, el tiempo! Como dice la Palabra de Dios: "Nuestros días sobre la tierra son cual sombra que no dura." ¡Todo pasa tan de prisa!

SAMUEL. —Así es, hermana, pero nos alienta el saber que cada día que pasa, nos acerca más a nuestro Señor. Pero ahora cuéntame algo de ti. ¿Cómo ha sido tu vida en estos años? ¿Qué es de tu familia?

EVA. —Ha sucedido de todo un poco: cosas buenas, circunstancias adversas, alegrías y tristezas. Una vida larga como la nuestra da lugar a que se presenten experiencias y situaciones muy diversas. Pero en todas ellas he visto la mano de Dios, alegrando, probando, curando, reprendiendo, apoyando...

SAMUEL. —Por la carta que me enviaste supe que Chema, tu esposo, marchó con el Señor hace 12 años. ¡Lloré mucho, pues bien sabes cuánto le quería! Pero lloraba por mí y por ti, egoístamente, pues bien se que él, como Pablo, decía: "Para mí, el vivir es Cristo, y el morir, ganancia. Como ya conoces, también yo perdí a mi esposa, mi amada Elena, y a un hijo muy joven. Fueron dos pruebas de fuego que me sumieron en un mar de dolor infinito y desgarrador. ¡Mas, también allí, en aquél desierto de soledad, sentí cómo me sostenían los amorosos brazos del Padre, dándome fuerzas y ánimos para seguir adelante!

EVA. *(Pone la mano en el hombro de su hermano, como diciéndole, yo te entiendo.)* —Sí, hasta aquí nos ayudó el Señor. *(Pausa.)* ¿Sabes? ¡Cuántas veces me acuerdo de nuestros padres! Ellos supieron sembrar en nuestros corazones la "preciosa semilla" de la Palabra de Dios y, a su tiempo, el Espíritu Santo hizo que germinara en nosotros. ¡Les estoy tan agradecida! Ellos supieron mezclar con sabiduría, la exhortación y el ejemplo; la enseñanza y su hermoso testimonio!

SAMUEL. —¡Ciertamente tienes razón! En muchas ocasiones nos mostraban la "senda del Maestro" por medio de la Biblia, pero fueron incontables las veces que aprendimos viéndoles a ellos cómo la seguían. Aunque sus labios no hablaran, lo hacían sus acciones. ¡Fue una gran bendición, y un enorme privilegio, el tenerles por padres!

EVA. —¡Ojalá nuestros hijos hayan visto algo de esa hermosa herencia en nosotros!

SAMUEL. —¡Al menos, lo hemos intentado, y podemos descansar en Jesús, sabiendo que él obrará en ellos hasta el final de sus vidas!

EVA. —¡Quiera Dios que hayamos cumplido con dignidad la difícil tarea de ser padres! Tanto tú como yo hemos tenido errores y aciertos, pero siempre hemos vuelto nuestros ojos hacia Jesucristo, porque nuestros padres creyeron al pie de la letra lo que dice la Palabra del Señor, en Proverbios 22:6: "Instruye al niño en su camino; y aun cuando sea viejo, no se apartará de él." Ellos nos mostraron, de palabra y obra, dónde estaba el camino, la verdad y la vida. *(Se quedan mirándose, asintiendo con sus cabezas, y se cierra el telón.)*

EMANUEL

Silvia Emilse Salomón

PERSONAJES:

María
José
Pastor Uno
Pastor Dos
Pastora Tres
Pastor Cuatro
Pastor Cinco
Pastor Seis
Voz
Simeón
Ana
Una Muchacha
Hombres y Mujeres del pueblo

ACTO I

(José es un hombre alto, de espesa barba negra: viste como todo judío humilde de la época; calza sandalias. María es muy joven, de largos cabellos negros recogidos en una red y sus vestidos son los usuales para las mujeres judías de condición modesta. Al parecer, cargan bultos de viaje.)

ESCENA UNICA

(Es el atardecer. Se ve una serie de casillas como las que se usaban para guardar los animales domésticos, mulas, caballos, burros, que dan a un patio común. Se ven algunos viajeros que van o vienen y son los huéspedes alojados en el mesón. Se comunican por medio de gestos. Algunos se detienen a conversar mientras otros se asean con agua de las tinajas en los abre-

vaderos de los animales. Junto al muro de enfrente hay fogones rústicos donde algunas mujeres cocinan o calientan alimentos sencillos.)

(Por la izquierda aparece José, quien baja al patio. Se saluda con algunos conocidos ocasionales. Un hombre le indica una de las casillas abiertas y desocupadas donde deposita sus bultos. Se vuelve por donde entrara y llama con un gesto a alguien que permanece afuera. Entra María. Se la ve contenta, sonríe y saluda discretamente a quienes encuentra; se nota su estado de gravidez.)

(Ocupan la casilla donde ordenan sus cosas para pasar la noche. María con cacharros en las manos, se acerca a uno de los fogones y con satisfacción se dispone a calentar la comida que trae.)

JOSE. *(En la casilla se lo ve adecuar el lugar; cubre con paja seca el piso y encima extiende gruesas mantas a manera de alfombras.)* —¿Cómo te sientes, María? *(Se acerca, la abraza con afecto y regresa a la casilla. Ambos sonríen.)*

MARIA. —Bien, me siento muy bien, querido. *(Se palpa el vientre mientras habla.)* Hummm, creo que este niño no tardará en nacer. Pero ya estamos en lugar seguro. ¡Gracias al Dios Altísimo! Si nace esta noche estará abrigado y todo irá bien. *(Sigue calentando la comida. La prueba y se retira adonde José la espera.)*

JOSE. *(Se ha sentado sobre el piso y corta pan, queso y pepinos. Extrae de uno de los bultos un recipiente con vino. María se arrodilla con cuidado y entrega una escudilla con alimentos calientes a José. Ambos comen con satisfacción.)*

UNA MUCHACHA. *(Desde el patio.)* —¿No usarás más este fuego, María?

MARIA. —No Sara, gracias. ¿Necesitas algo que yo te pueda dar? Tenemos nueces y pan y...

UNA MUCHACHA. —Oh no gracias. Ya acosté a los niños. Ahora Joel y yo comeremos algo y nos acostaremos. Buenas noches. *(Desaparece.)*

JOSE Y MARIA. —Buenas noches, que descanses y el Señor

los bendiga! *(Mientras terminan de comer apoyan apoyan sus espaldas el uno en la otra para estar más cómodos. Se les ve felices. Se acarician y se besan. Las luces se van atenuando. Sólo los ilumina a ellos.)*

JOSE. —Espero que mañana podamos hacer el trámite del censo. No me gustaría quedarme aquí muchos días. Me preocupa nuestra casa en Nazaret y tanto trabajo que dejé en manos de Silvano. No sé cómo se las arreglará, pobre hombre.

MARIA. —No te preocupes, José. Silvano es un hombre trabajador. Lo conozco por lo que me dice de él su hija Ninfas. Sabes que somos muy amigas además de vecinas.

JOSE. —Sí, tienes razón, pero es la primera vez que me ausento por tantos días. Qué suerte que ellos no tuvieron que salir de Nazaret. ¡Ah!, ¿no te dije? Me encontré hace rato con un pariente que hacía muchísimo que no veía. Es de nuestra tribu.

MARIA. —¿De la familia de David?

JOSE. —Sí, sí. Se llama Eliud. El mismo nombre de uno de nuestros antepasados, tú sabes cómo es eso... *(María se ríe.)* ¿Por qué te ríes?

MARIA. —Porque es mucho más simple ser como nosotros, del pueblo y sin ninguna historia de genealogía como la tuya. Salvo mis primos Elisabet y Zacarías y dos o tres pequeñas familias más, esa es toda nuestra parentela. Tú, en cambio, sí eres descendiente de reyes, José. *(Lo mira con admiración. El mueve la cabeza y pierde su mirada a lo lejos. Sin levantarse comienzan a juntar los utensilios y restos de comida que ordenan en una cesta cerca de ellos.)* ¿No dices nada José? *(Lo observa mejor y lo interroga con ternura y cuidado.)* —¿Te preocupa algo, querido?

JOSE. *(La enfrenta, le toma las manos y le habla con devoción.)* —María, yo de verdad soy descendiente del rey David y mis antepasados vienen de cientos de años de historia: hombres y mujeres. Pero fíjate que entre mis antepasados hay de todo: buenos y malos, hombres y mujeres, simples y sabios, dignos e indignos. Unos para orgullo pero también otros para vergüenza. En una raza como la nuestra, compuesta de familias de aquí y de allá, no hay herencias puras. Nadie es totalmente puro y santo, María. Y te digo más, esposa mía, toda la historia de mi estirpe me importa muy poco ahora. Me importa, y muchísimo, ese niño que va a nacer, ese hijo... *(Al decir esto se le quiebra la voz por la emoción.)*

MARIA. —¡Oh José! Tú sabes que ahora nuestras vidas no son nuestras. Tú sabes que hemos sido convocados por el Señor, hemos sido elegidos, separados. José, ¿entiendes esto?: para ser los responsables de recibir al Niño que vendrá a ser el Hijo del Altísimo. Gozamos del favor de Dios, tal como me lo dijo el ángel en Nazaret, ¿lo olvidaste? Recuerdo las palabras que el Señor me dijo aquella vez, cuando me anunció que quedaría encinta: "El Espíritu Santo vendrá sobre ti, y el poder del Altísimo te cubrirá con su sombra, por lo cual también el santo ser que nacerá será llamado Hijo de Dios." ¿No es maravilloso? *(Después de unos momentos de reflexión.)* Yo siempre pensé que el Mesías nacería de una princesa y en un palacio como el del pariente Salomón. Pero mírame tan pequeña y tan simple, y he sido la elegida para ser su madre. A veces casi no lo puedo creer; siento algo muy extraño dentro de mí, algo que no alcanzo a comprender plenamente...

JOSE. —Yo lo siento como una carga enorme. También a mí me parece que es un sueño esto que nos sucede, María. *(Medita un momento.)* —Todo cuanto tiene que ver con los designios de Dios me espanta, me da mucho miedo. No puedo dejar de pensar en todos los anuncios, en la inmensa significación que... ¡Oh, María! *(Se abrazan conmovidos. Ella lo acuna tomándole la cabeza entre sus brazos. Levanta los ojos y se la ve radiante.)*

MARIA. *(Canta suavemente.)* —Mi espíritu se alegra en Dios mi Salvador, porque ha mirado la bajeza de su sierva... Ha hecho grandes cosas conmigo. Su nombre es Santo y su misericordia es de generación en generación para con los que le temen.

(La luz se va atenuando lentamente. Sólo queda relevante el rostro de María. Se escucha lejano y suave un coro de voces cantando. Puede ser el Ave María de Haendel, o algo similar, sin letra. El telón cae lentamente.)

ACTO II

ESCENA I

(Es de noche, en campo raso. Cinco o seis pastores cuidan del rebaño. Uno es un hombre mayor; entre el grupo de jóvenes hay una muchacha. Se los ve abrigados con mantas y sus cabezas cubiertas. Dos vigilan mientras los demás reposan. Se escuchan grillos y el canto de algún pájaro nocturno. Se ven siluetas de perros y también ovejas y cabras.)

PASTOR UNO. *(Frotándose las manos para quitarse el frío. Bosteza; da unos pasos y mira la noche.)* —Qué claro está el cielo, ¿te fijaste Jeremías?

PASTOR DOS. *(Sentado de espaldas al proscenio.)* —Sí, por supuesto. Las ovejas duermen tranquilas, pero noto que los perros están inquietos... Como que huelen algo ¿no? Espero que no sean ladrones o alguna bestia salvaje con hambre.

PASTOR UNO. —Pero no, muchacho. Tú siempre tienes miedo y te imaginas cosas. Todo está muy sereno. Me encantan las noches así. A veces me parece que escucho voces de gente que pasa. Hasta creo escuchar alguna lejana canción en un idioma extraño al nuestro.

PASTOR DOS. *(Se ríe.)* —Tú dices de mi imaginación... ¿Y la tuya, entonces? Nadie canta a estas horas, Elías. Y voces, ¿qué voces? ¿La de algún profeta? Eso se acabó, amigo mío. Son tonterías de los rabinos.

PASTOR UNO. *(Sentándose.)* —Bueno, ¿por qué no? Siempre hay que estar atento a las voces de los antepasados. Ellos hablan de parte de Dios. ¿Acaso no crees en nada ni en nadie, Jeremías?

PASTOR DOS. —¿Dios? Sueñas, Elías. Hace siglos que se acabaron los profetas de Dios. Ahora hay que cuidarse y escuchar bien las voces y los gritos de los romanos, querido, y cuando se los oye, hacerse rápido a un lado antes de que te pasen por encima con sus caballos y sus carros... *(Les sigue un largo silencio.)* Este censo de Cirenio no me gusta nada. Por momentos creo que es una trampa para controlarnos y tenernos mejor identificados. Tampoco me siento cómodo con toda esa gente amontonada viniendo de todas partes. Esta mañana estuve en Belén y es un hervidero de gente que va y viene y que nadie conoce; que perturban, en una palabra.

PASTOR UNO. —Pobre gente. Algunos han viajado mucho desde sus pueblos. Yo más bien los compadezco.

(La escena comienza a iluminarse lentamente. La claridad crece y de la misma manera el asombro de los dos pastores que se miran con miedo; se incorporan inquietos. Se escucha música cuyo volumen aumenta. Puede ser música instrumental antigua judía: cítara, flauta, laúd o panderos.)

PASTOR DOS. —¿Qué pasa? *(Los perros se inquietan y gimen. Los demás pastores se remueven de sus sitios sin despertar.)*

PASTOR UNO. —No sé... Algo extraño está pasando. ¿No escuchas una música de verdad? ¡Mira cuánta luz! *(Se estrechan temerosos. Los demás despiertan y se incorporan asustados. Se preguntan por medio de gestos: ¿qué pasa? La luz ahora es resplandeciente. Se escucha una voz muy clara y armoniosa que expresa intensa alegría.)*

VOZ. —No temáis, porque he aquí os doy nuevas de gran gozo, que será para todo el pueblo: que hoy en la ciudad de David, os ha nacido un Salvador, que es Cristo el Señor. Y esto os servirá de señal: Hallaréis al niño envuelto en pañales y acostado en un pesebre. ¡Vayan a verle! ¡Vayan ya!

(La luz resplandeciente permanece fija, se agregan otros puntos luminosos. Se escucha una canción coral muy dulce. Lentamente las luces y la melodía de la canción se alejan. Todo

*queda sumido en la claridad de la noche como al principio de la
escena. Cae el telón.)*

ESCENA II

*(El grupo de pastores reacciona poco a poco. Se incorporan
y se miran sin entender lo que ha sucedido.)*

PASTORA TRES. —¿Escucharon? ¡Ha nacido el niño, el esperado!

PASTOR CUATRO. —¿Será verdad al fin? ¡No lo puedo creer!
Será una fantasía...

PASTOR CINCO. —Tal vez lo hemos soñado.

PASTOR DOS. —Yo de mi parte no creo que Dios nos hable de
esta manera a nosotros. ¿Se dan cuenta? Solamente somos
unos pobres, sucios y despreciables pastores. Somos la
gente inferior que únicamente sabe cuidar ovejas. Olemos a
estiércol y a perros... ¡No, no puede ser! Ha sido una
visión...

PASTOR UNO. —No seas descreído, Jeremías. Para Dios todo
es posible. Sus promesas son ciertas.

PASTOR CUATRO. —¿Acaso cuando Dios llamó a Moisés para
sacar de Egipto a nuestro pueblo, no cuidaba las ovejas de
su suegro Jetro? ¿Acaso el profeta Amós no era también un
pastor de ovejas cuando recibió el llamado del Señor?

PASTORA TRES. —Claro que sí, es verdad. Para Dios todo es
posible. Lo que él quiera revelarnos, nos será revelado; el
lugar y la condición poco importan... ¿No concibió Sara un
hijo en su vejez? Y mucho más cerca, ¿no ha sido madre
hace muy poco Elisabet, la anciana esposa del sacerdote
Zacarías? Para Dios todo es posible.

PASTOR CUATRO. —Nuestra historia está llena de hechos
maravillosos, amigos, dejemos ya de dudar y vamos. *(Todos
se reaniman.)*

PASTOR UNO. —¡Vamos a Belén! A ver qué ha sucedido, según

nos ha dicho el ángel. Vayamos sin miedo... *(En actitud decidida, con gestos de manos y brazos en alto, anima el resto.)*

PASTOR DOS. *(Apartándose.)* —Vayan ustedes, compañeros. Yo cuidaré del rebaño; vayan, vean y vengan a contármelo. Los esperaré.

PASTOR CINCO. —Pero, ¿por qué tú no...?

PASTOR DOS. *(Los envía con gesto convencido.)* —Vayan, vayan ya... *(Todos se despiden y se marchan aprisa por la izquierda. Telón.)*

ESCENA III

(María está recostada y envuelta en mantas; a su lado, envuelto en pañales, reposa un bebé. La iluminación es difusa y se centra en María, José y el niño. De espaldas al proscenio, siluetas de personas en silencio. Por la derecha aparecen los pastores. Se muestran temerosos. Asombrados al descubrir al grupo, se comentan con mímica. Se acercan con cautela. Se los ve alegres y ansiosos; obran con timidez. José y María les sonríen y los animan a acercarse.)

PASTOR UNO. *(Se dirige a José.)* —Discúlpanos... Venimos del campo, de más allá de la aldea, de... El Señor nos ha anunciado que encontraríamos al niño, que es el Salvador que esperábamos. Hemos venido casi corriendo...

PASTOR SEIS. —Nos ha dicho el ángel que es el Mesías. ¡El gran Mesías de Dios!

PASTOR CUATRO. —Nos anunció que traería alegría para todo el pueblo, ¡nuestro pueblo judío, el pueblo de Israel que sufre opresión y esta falsa libertad!

PASTORA TRES. —Y hemos escuchado los cantos. ¡Eran tan dulces, tan bellos, tan agradables! Por eso hemos venido, porque al fin el Altísimo se acordó de nosotros los pobres, de los humildes, de los niños... *(Los pastores se inclinan reverentes ante el recién nacido)* y de las mujeres como tú,

María. *(La señala y seguidamente se arrodilla y sonríe feliz y habla con María en mímica.)*

PASTOR UNO. —El ángel nos dijo que viniéramos aquí, José; que los encontraríamos a ustedes, que veríamos al niño acostado en un pesebre junto a su madre... *(Con mucha admiración.)* ¡Ahora vemos que todo era verdad! ¡Es el niño!

(Los pastores miran al proscenio. María se sienta y toma al niño en brazos.)

JOSE. *(Con gesto reposado se dirige a los pastores y a la demás gente.)* —Bueno, no hemos tenido música aquí, como es costumbre entre nosotros para los nacimientos, ¿verdad? Pero ustedes dicen que había canciones con los anuncios. Saben que venimos de muy lejos y además somos pobres, así que todo ha sido muy sencillo. Todo cuanto ustedes relatan no nos asombra demasiado. *(Se une más a María.)* Nosotros también tuvimos anuncios muy especiales acerca de este nacimiento y de cómo sería. María, mi esposa, lo sabe muy bien. *(La mira con gran ternura. Ella se pone de pie con la ayuda de José y de la pastora. María sonríe a todos y mira al bebé embelesada. No dice nada, pero demuestra, por sus gestos, que está abrumada de felicidad. Cierra los ojos en actitud de profunda meditación y levanta el rostro.)*

(Puede escucharse música, cantos de pájaros y silbidos, rebuznos y balidos. A través de las luces se advierte el amanecer por la derecha; las luces del establo van menguando. Dos pastores hacen una reverencia casi tocando con sus frentes el suelo. Todos se van retirando con el resto de la gente que había permanecido en silencio; hacen mímica hasta desaparecer por la derecha.)

(La escena de José, María y el niño está apenas iluminada por la luz de la aurora. José rodea con sus brazos los hombros de María; ésta mueve sus labios en oración. Cae el telón.)

ACTO III

ESCENA I

(Se muestra una parte del templo de Jerusalén; es un lugar de paso para la gente que entra y sale sin detenerse. En un ángulo una mesa de madera con un candelabro; sobre la mesa algunos rollos menores. Se ven escalones que van hacia el interior. Hay plantas y flores de la región. Se escucha música religiosa hebrea antigua. Por la derecha aparece Simeón. Es un anciano que vivía cerca del templo de Jerusalén. Aparece murmurando oraciones. Se detiene. Viste ropa usual de la época que dice de su condición humilde. Mira hacia la izquierda.)

SIMEON. —Gracias, Señor, por tu gran misericordia. Yo sé que tu Palabra siempre es cumplida y tus promesas son verdad. *(Como para sí, en voz alta muy clara.)* Yo soy de los "silenciosos de la tierra"; he orado y velado toda mi vida esperando humildemente. Soy de los pobres que los poderosos desprecian y no tienen en cuenta. Pensé que me moriría porque soy viejo, mas ahora sé que veré al Ungido que él nos ha enviado. Mi Señor, me sorprendes con tu maravillosa noticia que ya has hecho nacer al rey. ¿De verdad, ha llegado?

(La música se intensifica. Por la izquierda entran José y María y se acercan al anciano, que les sonríe feliz. Este se adelanta y los saluda al estilo judío; les dirige la palabra, pausado. Su rostro resplandece de alegría. Extiende sus brazos. Dice con voz más fuerte y clara:)

SIMEON. —Te alabo, Dios de los cielos porque ya estás aquí ¡encarnado en este tierno e indefenso niño! Nuestra liberación ha llegado.

JOSE. *(Con mucho respeto.)* —Ya hemos traído las ofrendas, Simeón: dos palomas, tal como señala la ley para los pobres. *(Mirando a María.)* Ella ha pasado su período de purificación; tal cual nos señala la ley, "Todo primer varón que nazca será apartado para el Señor." Así ha sido hecho. Aquí está el niño a quien hemos llamado Jesús, tal como el ángel le dijo a María que debíamos llamarlo.

SIMEON. —¡Oh, sí! Ya sé, el Espíritu Santo ya me ha revelado todo cuanto necesitaba saber, y tal vez más... ¿Sabes?, el Señor me ha concedido la gracia de no ver la muerte hasta cumplir con este privilegio. *(Canta suavemente el "Nunc dimittis", o un Salmo con música hebrea antigua.)*

(María le ofrece al niño, Simeón lo toma con gran ternura. Lo besa.)

SIMEON. —¡Oh, mi Señor! Ya puedes dejarme morir en paz porque has cumplido lo que prometiste a tu sirvo: ver con mis ojos al Salvador que has puesto delante de toda la gente. El es la luz que ha de alumbrar a los que son de Israel; él dará honor a Israel, tu pueblo elegido.

JOSE Y MARIA. *(Se miran con asombro. Hacen gestos de no entender qué dice el anciano. Exclaman.)* —¿Cómo sabes todo esto?

MARIA. —¿Es verdad que será el Salvador del mundo? ¿Es posible? *(Mueve la cabeza con gesto de desconcierto.)* Cada vez me parece más maravilloso que yo sea la elegida para ser la madre del Señor. Por momentos creo soñar... Hasta me confundo porque es demasiado para mí, una humilde mujer del pueblo, nacida y criada como buena judía, nada más. Además, ante tantos misterios no puedo entender cómo... ¡que el Señor tenga misericordia de su sierva!

(María por un instante se abraza con José.)

SIMEON. *(Parado en medio, da el rostro al proscenio. José y María están de espaldas.)* —Bendito sea este niño a quien le han puesto por nombre Jesús. Y tú querida y tierna María, mira y atiende lo que te diré: este niño está destinado a hacer que muchos en Israel caigan o se levanten. Por su causa, grandes, asombrosos hechos y acontecimientos jamás vistos tendrán lugar de aquí en adelante en toda la tierra.
(María mira atemorizada a José. Intenta decirle algo, pero se contiene. Simeón continúa.)

SIMEON. —El será una señal que muchos van a rechazar, y

así se va a saber lo que cada uno piensa en su corazón. Y para ti, todo esto será como una espada... *(Ella hace un gesto doloroso.)* Esa espada atravesará tu propia alma.

(Simeón le entrega al niño. Se va por la izquierda. María aprieta contra su pecho al bebé. José la observa preocupado. Cae el telón con rapidez.)

ESCENA II

(José y María en la misma posición. Aparece Ana por la derecha. Viste una túnica de tonalidades blancas y azules. Los chales que casi cubren sus cabellos muy blancos, trenzados suavemente, son grises. Es muy anciana, pero se mantiene erguida. Se observa alegría en su rostro surcado de arrugas. Se acerca al grupo de José y María. Algunas mujeres por la derecha se acercan y miran la escena. Hay mímica y murmullo suave de voces. Algunos hombres ríen amistosos con José y lo palmean.)

ANA. *(Dirigiéndose a todos.)* —Alabado sea el Dios de las generaciones pasadas, presentes y futuras. Escuchen, buenas gentes: estoy llegando a los 90 años. He dedicado mi vida, desde que enviudé muy joven, a servir a Dios en este templo. Noche y día he servido a mi Señor. *(La gente la escucha con atención.)* He pasado días y noches orando de rodillas. He tenido largos días de ayuno. *(Despierta sorpresa en sus oyentes.)* El me ha dicho: "Jehová te guiará siempre y saciará tu alma en medio de las sequedades. El fortalecerá tus huesos, y serás como un jardín de regadío y como manantial de aguas cuyas aguas nunca faltan." Dios me ha revelado muchas cosas. ¡Créanlo! *(Se calla y en medio de un gran silencio mira a todos, acercándose. Luego da unos pasos hacia atrás.)* ¿Les parece extraño que una mujer de Israel les hable así, verdad? Pues sí, y muchas cosas más podría decirles. He sido favorecida como mujer, tal como tú, María de Nazaret. Yo no tuve hijos, pero he servido a Dios como él me lo ha ordenado y como yo lo he sentido. Tú, querida María, tienes una misión muy alta, por cierto ¡extraordinaria! Has sido elegida entre muchas otras para engendrar en tu vientre al Hijo del Altísimo. El eligió la buena tierra para sembrar su santa simiente. Eres bien-aventurada. Siempre tu nombre será símbolo para muchos pueblos. *(Se congrega más gente al grupo.)*

ANA. *(Dirigiéndose a todos en general, incluso al proscenio.)* —Dios el Santo es Dios de hombres y mujeres. Él ve tanto lo de adentro como lo que está afuera. Para él todo niño es valioso y por eso quiso nacer como un niño, y su nombre es Jesús. Son valiosos los hombres como José, un carpintero que trabaja la noble madera; son valiosos los ancianos como Simeón y las ancianas como yo, y las mujeres como tú, María, plenas de energía y juventud. A todos y a cada uno el Señor les encomienda una misión en la vida... Nada es azar ni casualidad. Dios tiene planes, Dios ordena el universo... *(Cesa de hablar. Se nota agitada. Se sienta en el suelo al estilo oriental para tomar aliento. Los demás la observan. A un gesto suyo dos personas se adelantan y la ayudan a ponerse de pie.)*

ANA. —Ustedes hermanos judíos de Jerusalén y de toda Israel, y gente de todo el mundo estén atentos. Yo he visto la señal. ¡Yo sé que ha llegado la liberación! "El pueblo que andaba en tinieblas vio una gran luz. A los que habitaban en la tierra de sombra de muerte, la luz les resplandeció. Le aumentaste la gente y acrecentaste la alegría. Se alegrarán delante de ti como se alegran en la siega, como se gozan cuando reparten el botín." De ahora en adelante habrá grandes cambios. Un nuevo mundo, un reino diferente, un tiempo nuevo se hará realidad entre nosotros...

(Lentamente deja la escena por la izquierda acompañada por dos o tres mujeres.)

(El lugar va variando de color mientras una música instrumental judía o el canto de un salmo se escucha suavemente. Haces de luces iluminan la escena para concentrarse en María que carga al niño en sus brazos, levanta el rostro con una leve sonrisa de alegría.) (Cae el telón.)

ACTO IV

Escena Final

(El escenario muestra un camino a todo lo ancho, hacia el fondo. Por la derecha aparecen José y María; ella carga al bebé en brazos y él algunos bultos de viaje. Se detienen y miran hacia el camino. Por mímica hablan entre ellos con entusiasmo. Dan unos pasos hacia el centro del escenario y observan el proscenio. José mira a María con ternura mientras habla.)

JOSE. —Bueno, hemos cumplido con todos nuestros deberes religiosos, ¿verdad, María? Jesús ha sido circuncidado a los ocho días, tú cumpliste tus días de purificación, hemos traído como sacrificio un par de palomas, conforme a la ley del Señor...

MARIA. —Así es. *(Suspira.)* Mi corazón casi no alcanza para contener tantas emociones como las recibidas desde que nació Jesús, aquella noche en Belén.

JOSE. —Ahora debemos regresar a nuestro pueblo de Nazaret. Aquí en Belén no queda más por hacer.

MARIA. —Sí. Regresemos ya a nuestra hermosa provincia de Galilea donde está nuestro hogar. Criaremos a Jesús según los mandamientos del Señor. Apenas tenga la edad solicitada por el rabino de nuestro pueblo, irá a la sinagoga con los demás niños. ¡Ah! y lo alimentaremos bien para que crezca fuerte y sano. *(Sonríe al niño.)*

JOSE. —Será el mejor de los niños, porque nuestros corazones lo abrigarán y nuestro amor lo cubrirá, lo cuidará y lo alimentará. Le daremos amor porque él es amor.

MARIA. —Será sabio, ¡muy sabio! Porque toda la sabiduría del universo le pertenece. Será un gran hombre. ¡Dios el Señor lo hará rey, como su antepasado David, para que reine por siempre en la nación de Israel! Su reinado no tendrá fin. Es la promesa y el aviso del ángel. Así me dijo cuando me anunció que quedaría encinta. No lo olvidaré nunca...

JOSE. —Será un verdadero hijo del Señor; tal vez un maestro

tan maravilloso como nunca se ha visto en nuestra tierra.

MARIA. —Es el Mesías que nuestro pueblo espera desde hace siglos. Es el prometido libertador de Israel. Es la promesa cumplida.

JOSE. —Irá más allá de Israel, María; será aún más poderoso que el imperio de los romanos, cuyos arcos y puentes, viaductos y monumentos permanecerán siglos, pero Jesús construirá puentes y fortalezas y viaductos en los corazones de los hombres y las mujeres, y nunca nada ni nadie los destruirá.

MARIA. —Nada será imposible para él, porque en él está Dios mismo, el Eterno...

JOSE. —Así es, así es.

(Se escucha una manada de ovejas que pasa a lo lejos y los gritos y silbidos de los pastores; los cascos de los caballos de soldados romanos en recorrida. Una mujer canta; un vendedor ambulante ofrece mercancías en árabe, arameo o algún dialecto regional. Debe dar la sensación a través de los gestos de José y María que, escuchando aquellas manifestaciones de la vida cotidiana, deben despertar de sus sueños para enfrentarse a la realidad que les espera. El niño se mueve y llora en los brazos de María, que lo acuna y trata de consolarlo.)

JOSE. —Vamos, María. Ya es hora. *(Levanta los bultos.)*

MARIA. —Sí, vamos, José...

(Ambos se encaminan hacia la platea y descienden las gradas por el camino central del escenario. Desaparecen mezclándose con los espectadores. El escenario queda abierto.)

VINO EL SALVADOR

Charlene y Susan Ray

La Historia de la Navidad en Música y Cuadros Vivos

PERSONAJES:

Isaías
María
Un ángel
José
2 pastores
3 magos
Herodes
El niño Jesús (Un bebé o un muñeco de tamaño natural)

NOTAS PARA EL DIRECTOR:

En este drama los actores que representan a los personajes bíblicos no tienen que hablar; deberán estar inmóviles como "cuadros vivos" de la historia que los narradores leen y el coro canta. Los personajes bíblicos tienen que colocarse en pose durante el tiempo de la narración o el himno que precede a cada una de las diez escenas.

Es necesario tener un marco grande alrededor de los "cuadros", de donde las personas que van a actuar pueden entrar y salir sin ser vistas. Si el templo tiene un bautisterio, sería ideal presentar las escenas allí. En el bautisterio se necesitan cortinas que se pueden cerrar durante el cambio de las escenas y una plataforma que eleva a los personajes para que la congregación los vea bien. (Por favor, tenga cuidado que esta plataforma sea sólida para soportar a algunas personas y que no dañe el bautisterio.)

Por supuesto es necesario iluminar las escenas. Pero, aunque las luces del teatro aumentarían el efecto dramático, en muchos templos no será posible usar luces especiales. Para leer, los narradores necesitarán una luz pequeña para no distraer la atención de los "cuadros".

(Un método alternativo de gran efecto dramático es hacer cuadros de sombras. Se cubre la abertura del bautisterio con tela y se ponen figuras hechas de cartón o madera contrachapada. Se iluminan las figuras con una luz brillante detrás de ellas y fuera de la vista de la congregación. Cuanta mayor la distancia entre la tela y las figuras, tanto más grandes parecerán éstas.)

LISTA DE LAS ESCRITURAS CITADAS:
Isaías 7:14; 9:2, 6; 49:5, 6
Lucas 1:26-35; 2:1-20
Mateo 2:1-11
Juan 3:16
Isaías 53:3-6

Escrituras tomadas del libro *Dios Habla Hoy, La Biblia, Versión Popular,* y *Dios Llega al Hombre,* El Nuevo Testamento, Versión Popular.

HIMNOS SUGERIDOS PARA EL CORO
O LA CONGREGACION:
Todos los himnos sugeridos en este drama son del *Himnario Bautista,* publicado por la Casa Bautista de Publicaciones; también aparecen en el *Himnario de Alabanza Evangélica.*

ESCENA I

(ISAIAS se coloca en pose, con un rollo de pergamino en la mano. Apague las luces principales; encienda la luz del cuadro y abra la cortina.)

NARRADOR 2: La joven está encinta y va a tener un hijo, al que pondrá por nombre Emanuel... El pueblo que andaba en la oscuridad vio una gran luz; una luz ha brillado para los que vivían en tinieblas... Porque nos ha nacido un niño, Dios nos ha dado un hijo, al cual se le ha concedido el poder de gobernar. Y le darán estos nombres: Admirable en sus planes, Dios invencible, Padre eterno, Príncipe de la paz... El Señor, que me llamó desde antes de que yo naciera, pronunció mi nombre cuando aún estaba yo en el seno de mi madre..., dice así: No basta que seas mi siervo sólo para restablecer las tribus de Jacob y hacer volver a los sobrevivientes de Israel; yo haré que seas la luz de las naciones, para que lleves mi salvación hasta las partes más lejanas de la tierra.

(Cierre la cortina y apague la luz del cuadro. Sale Isaías.)

NARRADOR 3: El pueblo de Israel esperaba un salvador. La mayoría de ellos esperaban un guerrero victorioso y un rey político. Pero el profeta Isaías habló de un niño, de un príncipe de justicia, de un siervo sufriente. Pasaron siglos sin la llegada del Mesías. Mas al fin llegó el tiempo cuando Dios estaba para cumplir su promesa. Aunque sería el evento más importante de la historia, muy pocas personas lo reconocerían. ¿Y quién habría anticipado la manera en que pasó?

ESCENA II

(Toman sus lugares María y el ángel; los dos están de perfil, María arrodillada y el ángel parado con un brazo levantado al cielo. Encienda la luz y abra la cortina.)

NARRADOR 1: A los seis meses, Dios mando al ángel Gabriel a un pueblo de Galilea llamado Nazaret, a visitar a una mujer virgen llamada María, que estaba comprometida para casarse con un hombre llamado José, descendiente del rey David.

NARRADOR 2: El ángel entró en el lugar donde ella estaba, y le dijo: "¡Te saludo, favorecida de Dios! El Señor está contigo. Cuando ella vio al ángel, se sorprendió de sus palabras, y se preguntaba qué significaría aquel saludo. El ángel continuó diciendo: María, no tengas miedo, pues tú gozas del favor de Dios. Ahora vas a quedar encinta: Tendrás un hijo, y le pondrás por nombre Jesús. Será un gran hombre, al que llamarán Hijo del Dios altísimo, y Dios el Señor lo hará rey, como a su antepasado David, para que reine por siempre en la nación de Israel. Su reinado no tendrá fin."

NARRADOR 1: María preguntó al ángel:
"¿Cómo podrá suceder esto, si no vivo con ningún hombre?"
El ángel le contestó:
"El Espíritu Santo vendrá sobre ti, y el poder del Dios altísimo descansará sobre ti como una nube. Por eso, el niño que va a nacer será llamado Santo e Hijo de Dios."

(Apague la luz y cierre la cortina. Sale el ángel.)

NARRADOR 3: Así fue prometido y anunciado el evento más importante de la historia, no a un rey o general, pero a una señorita del pueblo de Nazaret. Después de tantos siglos el Salvador esperado venía al mundo, ¡y ella sería su madre!
(Encienda las luces del coro.)

CORO: "Tú dejaste tu trono" (Núm. 60) "Oh ven, Emanuel" (Núm. 54).

ESCENA III

(Toman sus lugares María y José, en pose como si fueran caminando, José con bastón. Apague las luces del coro; encienda la luz del cuadro y abra la cortina.)

NARRADOR 1: Por aquel tiempo, el emperador Augusto ordenó que se hiciera un censo de todo el mundo... Todos tenían que ir a inscribirse a su propio pueblo. Por esto, José salió del pueblo de Nazaret, de la región de Galilea, y se fue a Belén en Judea, donde había nacido David, porque José era descendiente de David. Fue allá a inscribirse, junto con María, que estaba comprometida para casarse con él, y que se encontraba encinta.

(Cierre la cortina y apague la luz del cuadro; encienda las luces del coro.)

CORO: "¡Oh aldehuela de Belén!" (Núm. 74)

ESCENA IV

(Se colocan en pose María y José con el pesebre, que contiene un bebé o una muñeca; María arrodillada a un lado y José

parado al otro. Apague las luces del coro; encienda la luz del cuadro y abra la cortina.)

NARRADOR 1: Y sucedió que mientras estaban en Belén, le llegó a María el tiempo de dar a luz. Y allí nació su primer hijo, y lo envolvió en pañales y lo acostó en el establo, porque no había alojamiento para ellos en el mesón.

(Cierre la cortina y apague la luz del cuadro; encienda las luces del coro. Salen todos.)

CORO DE NIÑOS: "Allá en el pesebre" (Núm. 85)

ESCENA V

(Toman sus lugares dos pastores y el ángel, los pastores arrodillados resguardando los ojos de la luz y el ángel parado con los brazos extendidos hacia ellos. También la figura de una oveja hecha de cartón o madera contrachapada y cubierta de algodón. Apague las luces del coro; encienda la luz del cuadro y abra la cortina.)

NARRADOR 2: Cerca de Belén había unos pastores que pasaban la noche en el campo cuidando sus ovejas. De pronto se les apareció un ángel del Señor, y la gloria del Señor brilló alrededor de ellos; y tuvieron mucho miedo.

NARRADOR 1: Pero el ángel les dijo: "No tengan miedo, porque les traigo una buena noticia, que será motivo de gran alegría para todos: Hoy les ha nacido en el pueblo de David un salvador, que es el Mesías, el Señor. Como señal, encontraran ustedes al niño envuelto en pañales y acostado en un establo."

En aquel momento aparecieron, junto al ángel, muchos otros ángeles del cielo, que alababan a Dios y decían: "¡Gloria a Dios en las alturas! ¡Paz en la tierra entre los hombres que gozan de su favor!"

(Cierre la cortina y apague la luz del cuadro; encienda las luces del coro. Sale el ángel y la figura de la oveja.)

CORO: "Se oye un son en alta esfera" (Núm. 64) o "Angeles cantando están" (Núm. 67).

ESCENA VI

(Toman sus lugares María y José con el pesebre, junto a los dos pastores, María arrodillada, al lado del pesebre con José detrás de ella y los pastores arrodillados al otro lado. Apague las luces del coro; encienda la luz del cuadro y abra la cortina.)

NARRADOR 2: Cuando los ángeles se volvieron al cielo, los pastores comenzaron a decirse unos a otros: —Vamos, pues, a Belén, a ver esto que ha sucedido y que el Señor nos ha anunciado.

NARRADOR 1: Fueron de prisa y encontraron a María y a José, y al niño acostado en el establo. Cuando lo vieron, se pusieron a contar lo que el ángel les había dicho acerca del niño, y todos los que lo oyeron se admiraban de lo que decían los pastores. María guardaba todo esto en su corazón, y lo tenía muy presente.

NARRADOR 2: Los pastores, por su parte, regresaron dando gloria y alabanza a Dios por todo lo que habían visto y oído, pues todo sucedió como se les había dicho.

(Cierre la cortina y apague la luz del cuadro; encienda las luces del coro. Salen todos.)

CORO: "Vé, dilo en las montañas" (Núm. 73).

ESCENA VII

(Toman sus lugares los magos, parados mirando al cielo, uno de ellos indicando algo en el cielo. Apague las luces del coro; encienda la luz del cuadro y abra la cortina.)

NARRADOR 3: El Salvador, el Rey, había venido, y unos cuantos pastores judíos fueron los primeros en saberlo. Pero lejos de allí algunos otros hombres, magos del oriente, vieron una estrella brillante y la reconocieron como la señal de que había nacido el Rey de reyes. Y, como los pastores, vinieron a buscar y adorar a este nuevo rey, quien era el Hijo de Dios.

(Cierre la cortina y apague la luz del cuadro; encienda las luces del coro.)

CORO: "La noticia sin igual", estrofas 2, 3, y 4 (Núm. 75).

ESCENA VIII

(Toma su lugar Herodes a un lado, en un escalón para que esté más alto que los magos quienes están al otro lado. Apague las luces del coro; encienda la luz del cuadro y abra la cortina.)

NARRADOR 1: Jesús nació en Belén, un pueblo de la región de Judea, en el tiempo en que Herodes era rey del país. Llegaron por entonces a Jerusalén unos sabios del Oriente que se dedicaban al estudio de las estrellas, y preguntaron: ¿Dónde está el rey de los judíos que ha nacido? Pues vimos salir su estrella, y hemos venido a adorarlo. El rey Herodes se inquietó mucho al oír esto, y lo mismo les pasó a todos los habitantes de Jerusalén. Mandó el rey llamar a todos los jefes de los sacerdotes y a los maestros de la ley, y les preguntó dónde había de nacer el Mesías.

NARRADOR 2: Ellos le dijeron: En Belén de Judea; porque así lo escribió el profeta: En cuanto a ti, Belén, de la tierra de Judá, no eres la más pequeña entre las principales ciudades de esa tierra; porque de ti saldrá un gobernante que guiará a mi pueblo Israel.

NARRADOR 1: Entonces Herodes llamó en secreto a los sabios, y se informó de ellos del tiempo exacto en que había aparecido la estrella. Luego, los mandó a Belén, y les dijo: Vayan allá, y averigüen todo lo que puedan acerca de ese niño; y cuando lo encuentren, avísenme, para que yo también vaya a adorarlo.

(Cierre la cortina y apague la luz del cuadro; encienda las luces del coro. Sale Herodes.)

CORO: "En la noche los pastores velan", estrofas 2 y 3 (Núm. 59) u "Hoy la nueva dad", estrofas 3 y 4 (Núm. 62).

ESCENA IX

(Se colocan en pose María y el niño y los magos, María sentada con el niño sobre la falda y los magos arrodillados con sus regalos en la mano. Apague las luces del coro; encienda la luz del cuadro y abra la cortina.)

NARRADOR 2: Con estas indicaciones del rey, los sabios se fueron. Y la estrella que habían visto salir iba delante de ellos, hasta que por fin se detuvo sobre el lugar donde estaba el niño.

NARRADOR 1: Cuando los sabios vieron la estrella, se alegraron mucho. Luego entraron en la casa y vieron al niño con María su madre; y arrodillándose lo adoraron. Abrieron sus cofres y le ofrecieron oro, incienso y mirra.

(Cierre la cortina y apague la luz. Salen todos. El piano u otro instrumento toca suavemente, "Tú dejaste tu trono".)

NARRADOR 3: Quizás estos magos no reconocían qué clase de rey había de ser este niño. ¿Podían comprender que sería rey solamente en los corazones de los hombres que lo aceptaran? ¿Podían entender que él sufriría la muerte para que "...todo aquél que cree en él no muera, sino que tenga vida eterna"? Siglos antes, Isaías, quien profetizó su nacimiento, también proclamó su misión.

ESCENA X

(Isaías toma su lugar al lado del cuadro, mirando a una grande cruz en el centro, que se puede hacer de madera o cartón. Encienda la luz y abra la cortina.)

NARRADOR 2: Los hombres lo despreciaban y lo rechazaban. Era un hombre lleno de dolor, acostumbrado al sufrimiento. Como a alguien que no merece ser visto, lo despreciamos, no lo tuvimos en cuenta. Y sin embargo él estaba cargado con nuestros sufrimientos, estaba soportando nuestros propios dolores. Nosotros pensamos que Dios lo había herido, que lo había castigado y humillado. Pero fue traspasado a causa de nuestra rebeldía, fue atormentado a causa de nuestras maldades; el castigo que sufrió nos trajo la paz, por sus heridas alcanzamos la salud. Todos nosotros nos perdimos como ovejas, siguiendo cada uno su propio camino, pero el Señor cargó sobre él la maldad de todos nosotros.

NARRADOR 3: (O PASTOR:) Este Jesús, cuya fiesta de cumpleaños celebramos, sufrió por cada uno de ustedes. Y él anhela ser su salvador, el Rey de su vida. ¡Venid, adorémosle todos!

(Sale Isaías. Encienda las luces principales y las del coro.)

COROS Y CONGREGACION: "Venid, fieles todos" (Núm. 72).

LA NOTICIA SIN IGUAL

Dora A. Minjares de García

PERSONAJES:

María
José
Angel
Raquel (prima de María)
Joven de Belén
Muchacha (sirvienta del mesonero)
Mujer de Belén
Un pastor mayor
Abdiel (joven pastor)
Baruc (primo de Abdiel)
Mesonero (se escuchará sólo su voz)

ESCENA I

(Una habitación modesta, puede ser un solo mueble largo sin respaldo, con unos cojines o simplemente unos bancos sin respaldo. Al lado contrario de la entrada al escenario, estará una mesita con un florero, donde María colocará las flores que le entregará José. Aparece María sentada, bordando una tela. Se escucha que tocan.)

MARIA. —Un momentito, por favor, ya voy. *(Deja lo que estaba haciendo y camina hacia la puerta.)* ¿Quién es?

JOSE. —Soy José, María.

MARIA. *(Abre la puerta.)* —Adelante, José, afuera hace mucho calor.

JOSE. *(José, entrando. Lleva un sencillo ramo de flores del campo. Se lo da a María. Toma su mano derecha y la besa.)* —La paz de Dios sea en tu hogar, María.

MARIA.—Así mismo contigo, José. ¡Muchas gracias por las flores, es un hermoso presente! Son muy lindas y su perfume es delicioso. Las pondré en agua para que duren y no se marchiten. *(Camina hasta donde está el florero y coloca las flores. José se acerca.)* No cabe ninguna duda, nuestro Dios ha hecho todas las cosas bellas para que las gocemos.

JOSE. —Dios nos ha bendecido con la lluvia y el campo se ha llenado de verdor y de flores silvestres. Pasando por allí las corté para obsequiártelas.

MARIA. —Hace un rato estuvieron tus padres platicando con los míos y me dijeron que vendrías a conversar conmigo. Sentémonos y dime esa buena noticia que me traes. *(Se sientan.)*

JOSE. —¿Recuerdas que te había dicho que era probable que nos fuésemos a vivir a otro lugar cuando nos casáramos?

MARIA. —¿Ya sabes a dónde?

JOSE. —Ya analicé bien la situación, así que nos quedaremos a vivir en Nazaret.

MARIA. —¡Qué alegría José! ¡Qué alegría saber que no saldremos de nuestro querido Nazaret, donde vive nuestra familia y están nuestros mejores amigos!

JOSE. —Aquí todos conocen mi trabajo como carpintero. Siempre tengo cosas que hacer. En otra parte tendría que empezar de nuevo.

MARIA. —Tú sabes que estoy decidida a ir adonde me lleves. Como tu esposa que seré, te deberé obediencia en todo.

JOSE. —Nunca lo he dudado. También tienes que estar consciente de que soy pobre, que sólo cuento con mi humilde taller.

MARIA. —Todo eso lo sé y así pobre, eres el elegido de mi corazón.

JOSE. *(Poniéndose ambos de pie, José toma las manos de María y la ayuda a levantarse.)* —Tú también lo has sido del mío. Me voy, María, quiero empezar a hacer los muebles de lo que será nuestro hogar. En la próxima visita que te haga te contaré cómo van quedando. *(Caminan tomados de la mano hasta la puerta.)*

MARIA. —Desde ahora sé que serán funcionales y bien hechos, como todo lo que tus manos hacen.

JOSE. —Me halagas con tus palabras; procuraré hacer lo mejor porque serán para ti. La paz de Dios quede en este hogar.

MARIA. —Y vaya contigo. *(Sale José. María regresa y toma la tela que estaba bordando.)*

RAQUEL. *(Toca la puerta; se oye su voz fuera de escena.)* —¿No hay nadie en esta casa?

MARIA. *(María se levanta y habla caminando rumbo a la puerta.)* —Pasa, pasa Raquel. *(Entra Raquel. Se dan un beso en la mejilla.)* Conoces que esta es tu casa, no necesitas ni tocar.

RAQUEL.—La paz de Dios, María.

MARIA. —La paz de Dios, Raquel.

RAQUEL. —Aquí me siento como en mi casa, prima María. Nos hemos visto siempre como hermanas, hemos crecido juntas. Nuestros padres nos han enseñado el temor a Jehovah y nos sentimos gozosas porque podemos servirle con todo nuestro corazón.

MARIA. —¡Alabado sea Dios, porque en su infinito amor nos permite ser sus humildes servidoras! Pero, ven, querida Raquel *(tomándola de una mano)*, siéntate y conversemos un poco. *(Se sientan.)*

RAQUEL. *(Mirando hacia donde están las flores.)* —¡Qué hermosas flores ! ¿Dónde las has cortado?

MARIA. —¡Ah, prima Raquel! Me las ha traído José; él mismo las cortó en el campo.

RAQUEL. —¡Qué detalle tan delicado!

MARIA. —Antes de que tú llegaras vino a visitarme. Aunque todavía faltan algunos meses para nuestro matrimonio, hay muchas cosas que arreglar y de eso estuvimos hablando.

RAQUEL. —¡Qué alegría siento por ti María!

MARIA. —Nuestra boda será sencilla. José es un humilde carpintero, y mi familia es tan pobre como la de él.

RAQUEL. —¿Se irán a otro lugar como había dicho José?

MARIA. —Te doy la grata nueva. ¡Nos quedaremos en Nazaret!

RAQUEL. —¡Es bello Nazaret! Fértiles son sus alrededores. Gracias al Altísimo que hay abundancia de pasto donde coma el ganado; campos cultivados de vid y de muchos otros frutales.

MARIA. —El Señor nos ha bendecido dándonos esta rica tierra que primero prometiera a nuestro padre Abraham, después a su hijo Isaac y luego a Jacob.

RAQUEL. —Lo único que empaña la alegría y el gozo de disfrutar esta tierra es estar viviendo bajo el yugo del Imperio Romano, que no tiene para cuando salir de nuestros lares.

MARIA. —¡Ya Dios se acordará de nosotros! En él debemos tener puesta toda nuestra confianza. Debemos suplicarle en oración para que él se manifieste a su pueblo de alguna manera.

RAQUEL. —Tenemos la promesa del Mesías, al que todo el pueblo espera, para que venga a libertarlo de esta dura carga.

MARIA. —Pero, tú sabes Raquel, él vendrá a dar libertad al oprimido de espíritu, lo librará de sus pecados y del mal. El no vendrá a combatir a los romanos con espada como la mayoría cree que será.

RAQUEL. —¡Ay María!, a veces pienso que el Mesías tarda en manifestarse ¡Hace tanto tiempo que lo esperamos!

MARIA. —Confiemos en Dios, Raquel, confiemos en él y en sus grandes promesas, como lo hicieron nuestros antepasados.

Esperémoslo con fe, como lo hacen nuestros padres y sigamos suplicando al Altísimo por su manifestación. Toda profecía tiene su tiempo para cumplirse, y un día ésta se cumplirá.

RAQUEL. —Hablando de súplicas... las doncellas de Nazaret que nos congregamos para orar en la sinagoga te extrañaremos mucho.

MARIA. —No dejaré de congregarme porque me vaya a casar, pero después será con las señoras, como es la costumbre en nuestro pueblo.

RAQUEL. —Sé que no importará tu estado civil. Tú siempre has sido una joven decidida y consagrada al Señor que seguirá sirviéndole como hasta ahora.

MARIA. —Con la ayuda del Señor quiero seguir adorándolo con todo mi corazón.

RAQUEL. —¡Dios te bendiga por ser tan fervorosa!

MARIA. —Tú también eres una joven modesta y ejemplar.

RAQUEL. —Gracias, María. *(Tomando la prenda que María estaba bordando.)* ¡Qué hermoso mantel estás bordando! ¿Qué otras cosas has hecho?

MARIA. —Tengo hecha una frazada de lana. Ayer me puse a cardar para con esa lana hacer un manto que quiero obsequiar a José.

RAQUEL. —Desde mañana vendré por las tardes para ayudarte a cardar y a mover el huso. Tienes todavía muchas cosas por hacer para tu nuevo hogar.

MARIA. —Gracias, Raquel; eres una prima encantadora.

RAQUEL. —Ahora dime, ¿qué has sabido de nuestra prima Elisabet? ¡Ah, cómo me gustaría verla de nuevo!

MARIA. —Desde la primavera pasada que estuve en su casa, no he vuelto a saber de ella.

RAQUEL. —Casi siempre nosotros somos las que la hemos visitado. Ella tiene que estar al pendiente de Zacarías su esposo. Como sacerdote que es, tiene muchas ocupaciones en el templo donde ministra.

MARIA. —Además, ambos son avanzados de edad y ya se fatigan bastante viniendo desde los montes de Judea hasta Nazaret.

RAQUEL. —¿Los invitarás a tu boda?

MARIA. —Cuando esté más próxima la fecha lo haré y quizá me quede con ellos un tiempo.

RAQUEL. *(Poniéndose de pie.)* —Me voy, María. Falta poco para que el sol empiece a declinar. Tengo que ir a sacar el agua del pozo para que la beban las ovejas que mis hermanos traen del campo.

MARIA. —Creí que te quedarías a cenar conmigo como lo haces siempre que vienes.

RAQUEL. —Mañana será. Vendré a ayudarte como quedamos, y después cenaremos. ¿Qué te parece?

MARIA. *(Comienzan a caminar rumbo a la salida.)* —Entonces... mañana nos veremos.

RAQUEL. —Dios quede en tu hogar, María. *(Besa a María en la mejilla.)*

MARIA. —Y vaya contigo Raquel. *(Camina hacia el centro de la habitación.)* Iré a la cocina a preparar unos panes rellenos de pasta de higos. Mis padres no tardarán en llegar; fueron a saludar a un pariente que está enfermo. *(Da unos pasos hacia la parte contraria de la entrada. De allí saldrá el ángel.)*

ANGEL. *(Luz directa sobre el ángel.)* —¡Salve, muy favorecida! El Señor es contigo; bendita tú entre las mujeres.

MARIA. *(Sorprendida, dando unos pasos hacia atrás.)* —Pero... ¿quién eres?... ¿Cómo has llegado hasta aquí? No pareces humano...

ANGEL. —No tengas ningún temor, María. Soy el ángel Gabriel.

MARIA. —Estoy confundida... No entiendo qué haces en mi casa.

ANGEL. —Te traigo "la noticia sin igual" que toda doncella de tu generación hubiera deseado escuchar. Ante Dios has encontrado gracia. "Y ahora concebirás en tu vientre, y darás a luz un hijo y llamarás su nombre JESUS. Este será grande, y será llamado Hijo del Altísimo; y el Señor Dios le dará el trono de David su padre; y reinará sobre la casa de Jacob para siempre, y su reino no tendrá fin."

MARIA. —Yo soy una virgen. ¿Cómo puede ser esto posible?

ANGEL. —"El Espíritu Santo vendrá sobre ti, y el poder del Altísimo te cubrirá con su sombra; por lo cual el Santo Ser que nacerá, será llamado Hijo de Dios."

MARIA. *(Levantando los ojos y juntando las manos.)* —"He aquí la sierva del Señor; hágase conmigo conforme a tu palabra."

(Sale el ángel por donde entró. María se arrodilla en actitud de oración. Queda en cuadro plástico mientras se escucha una melodía navideña. Cae el telón.)

ESCENA II

(Se verá una barda o una calle, de lo que será Belén. Es de noche. Entran caminando lentamente María y José, deteniéndose a la mitad del escenario.)

JOSE. —Te veo muy fatigada María; detengámonos un momento para que puedas descansar.

MARIA. —Te lo agradezco José. Siento que ya no puedo dar ni un paso más y no hemos conseguido hospedaje. *(Se detienen.)*

JOSE. —Ha llegado gente de todo lugar; por el camino vimos varias caravanas de viajeros.

MARIA. —No hay duda, el edicto del emperador romano llegó hasta el más alejado rincón de Palestina.

JOSE. —Es el primer censo que hacen y necesitamos empadronarnos cada quien en su lugar de origen. ¡Cómo me hubiera gustado que te quedaras en Nazaret! En tus condiciones... y el viaje tan largo.

MARIA. —El edicto es para todos, y es mi obligación también ser empadronada. Cumplimos también con las leyes que ellos nos imponen, aunque muchas veces no nos parezcan justas.

JOSE. —¡Bien hablas María! Debemos cumplir y dar buen ejemplo.

MARIA. —Sin merecerlo, Dios puso sus ojos en esta humilde sierva. Me siento la más feliz y bienaventurada de todas las mujeres al saber que me ha escogido para que pronto dé a luz al prometido de Israel, el Salvador del mundo. Dios me ayude a cumplir también con él.

JOSE. —Recuerdo que quise dejarte cuando supe que esperabas un hijo, pero un ángel del Señor me apareció en mi sueño y me dijo: "José hijo de David, no temas recibir a María tu mujer, porque lo que ha sido engendrado en ella, es del Espíritu Santo." El ángel, agregó además estas palabras: "Y dará a luz un hijo, y llamarás su nombre JESUS, porque él salvará a su pueblo de sus pecados."

MARIA. —Eres un hombre justo José. Y nuestro Dios te escogió a ti para que seas el padre terrenal de su Hijo.

JOSE. —¿Te sientes mejor? ¿Podrás seguir caminando?

MARIA. —Me siento mejor, y aunque despacio, puedo seguir caminando.

JOSE. *(Mirando al extremo del escenario, parte contraria por donde entraron, camina un joven de Belén.)* —Mira, María, se acerca un joven. Preguntémosle si sabe de algún lugar donde nos puedan alojar.

JOVEN. *(Saluda al pasar.)* —La paz de Dios sea con ustedes, forasteros.

AMBOS. —La paz de Dios sea contigo.

JOSE. —Espera, espera un momento, por favor.

JOVEN. —¿Puedo servirles en algo?

JOSE. —¿Sabes de algún lugar donde nos puedan hospedar?

JOVEN. —Todo Belén está lleno. Desde hace algunos días no deja de llegar la gente que viene de todos los pueblos a empadronarse.

MARIA. —Quizá... en tu casa nos puedas hacer un lugarcito, aunque sea por esta noche.

JOVEN. —Nuestros parientes que han venido de Jerusalén y de otras partes, ocupan nuestra casa.

JOSE. —No te preocupes, joven; puedes seguir tu camino.

JOVEN. —Pero... ¿fueron al mesón que está al fondo de la calle? *(Señala hacia la parte de donde él entró.)*

MARIA. —No hemos llegado hasta allá.

JOVEN. —Es un mesón modesto, pero espacioso. Hay muchas personas allí, quizá por la comodidad de que el lugar donde empadronan está cercano. Precisamente la muchacha que viene por el sendero es sirvienta del mesonero, ella les puede informar mejor que yo. Hasta luego. *(Sale.)*

MUCHACHA. *(Entrando, trae una canasta.)* —¿Les decía algo el joven de mí? Vi que señalaba a donde yo venía.

JOSE. —Sólo nos decía que tú trabajas en el mesón que se ve al fondo y que nos podías dar información.

MUCHACHA. —No sé qué es lo que ustedes quieran saber.

MARIA. —Nos apremia saber si hay cuartos disponibles.

MUCHACHA. —¡Uf, señora! Todo ha sido ocupado. Con decirle que la familia del mesonero está reunida en un solo cuarto.

JOSE. —Bueno, pero... tal vez donde tú duermes puedas permitir que se quede mi esposa. Está muy cansada y esperando un hijo.

MUCHACHA. —¡Cómo lo siento! El mesonero ha alquilado también la habitación que yo ocupo y me manda a dormir a la cocina entre gente que ni siquiera conozco. Me tengo que ir. La mujer del mesonero me envió a comprar queso de cabra y otras cosas que necesito para dar de cenar a los huéspedes que lo requieran. *(Sale.)*

MARIA. —¿Qué hacemos José? Es noche. Hemos buscado hospedaje en todas partes sin resultado.

JOSE. —Dios no desampara a sus hijos. Nuestro pariente David dice en uno de sus salmos: "El ángel de Jehová acampa alrededor de los que le temen, y los defiende."

MARIA. —El tiene un plan para nosotros y no debemos desesperar.

JOSE. —También el profeta Jeremías dice: "Clama a mí, y yo te responderé, y te enseñaré cosas grandes y ocultas que tú no conoces." *(Levantando su rostro en actitud de oración.)* Señor de señores, en esta oscura noche donde todo nos parece adverso permítenos que entendamos cuál es tu voluntad. Amén.

MARIA. —¿Por qué no hablamos personalmente con el mesonero? Quizá...

JOSE. —Dijo la muchacha que todo estaba ocupado.

MARIA. —Puede ser que nos tenga consideración si le dices en que condición me encuentro.

JOSE. —¡Tienes razón, mujer! Necesitamos agotar todas las posibilidades. *(Caminan unos pasos.)* Mejor me esperas aquí sentada en esta roca. *(Se ve una roca donde María se sentará.)* Voy a hablar con el mesonero.

MARIA. —Aquí te espero, José. Ten cuidado, el sendero está muy obscuro. Sólo se ven las luces dentro de las casas.

JOSE. *(Sale de escena por donde se supone estará el mesón, solamente se escucharán las voces.)* —¿Quieres abrirme, por favor? Necesito hablar contigo mesonero. *(Se oye que toca.)*

MESONERO. —Yo soy el mesonero. ¿Qué se te ofrece, buen hombre?

JOSE. —Hemos venido a empadronarnos desde Nazaret; no encontramos hospedaje en ningún lugar. ¿Podrías ser tú tan amable de proporcionarnos a mi esposa María y a mí aunque sea un rincón?

MESONERO. —Lo siento mucho, forastero, todos los cuartos están llenos. No cabe ni un alfiler.

JOSE. —Te lo suplico... aunque sea para mi esposa. Está próxima a dar a luz.

MESONERO. —No insistas. ¡Ya te dije que no tengo ni un solo espacio! Sigue más adelante y ve con Dios.

JOSE. *(Entrando de nuevo va hasta donde está María.)* —No fue posible conseguir hospedaje.

MARIA. —La noche está avanzando; me parece que tendremos que quedarnos aquí.

JOSE. —Está haciendo frío pondré mi manto sobre tu espalda para que te proteja y te dé calor. *(Se quita el manto y se lo pone.)*

MARIA. —Se escuchan pasos. Parece que alguien se aproxima.

JOSE. —Es probable que sea la guardia romana que vigila las calles de Belén para que no haya desórdenes debido a las personas que han llegado. *(Se escuchan los pasos acercándose.)*

MUJER. *(Entrando, camina hacia donde están José y María.)* —¿Pero qué hacen tan solitos en medio de la calle oscura?

MARIA. —¡Ay, mujer! ¡Si tú supieras!

JOSE. —Somos de Nazaret, hemos venido a empadronarnos. Ella es María, mi mujer y yo soy su esposo, José. Estamos aquí porque no encontramos alojamiento.

MUJER. —¡Algún pariente deben de tener que los pueda socorrer!

MARIA. —Nuestros parientes que quedan en Belén son pocos; ellos también han ocupados sus casas con familiares que buscaron posada antes que nosotros.

JOSE. —¿Podrías tú, buena mujer, auxiliarnos? Me conformo con un rincón para mi esposa. Está en días de dar a luz y se siente muy fatigada.

MARIA. —Nuestro Padre celestial te recompensará este favor que nos hagas, me siento muy mal.

MUJER. —¡Con todo mi corazón lo haría! Es más, no sólo te daría un rincón, sino un cuarto y una cama. Mi casa parece mesón; todos mis parientes que han venido a empadronarse allí están   hospedados; con decirles que voy en estos momentos rumbo a un pesebre donde mi esposo cuida los animales. Por esta noche nos quedaremos en un cuartito donde se guarda el alimento de las ovejas.

JOSE. —Nos conformamos aunque sea con un techo.   ¿Podrías proporcionárnoslo en el establo?

MUJER. —Me conmueve tu insistencia por la necesidad que sé que tu esposa tiene, veré qué se puede hacer, cómo los puedo acomodar. Suficiente paja hay para que tu mujer descanse.

MARIA. —No cabe la menor duda; el Altísimo te ha enviado en nuestra ayuda, gracias mujer, gracias por lo que haces.

MUJER. —Es lo único que les puedo ofrecer. Deseo hacerlo porque veo en ustedes algo muy especial.

JOSE. —Pero, dinos, mujer, ¿por dónde caminamos al establo?

MARIA. —Me urge llegar a ese lugar; siento que el alumbramiento se acerca.

MUJER. —Atrás de donde está el mesón queda el establo; no caminaremos mucho. Yo te ayudaré en el momento en que se anuncie el nacimiento de tu Hijo.

JOSE. *(Ayudándola a levantarse.)* —Levántate con cuidado

María. Te ayudaré. Apóyate en mí; caminemos hacia el pesebre.

MARIA. —Gracias, bendito Señor, porque muestras de nuevo tu amor.

(Se escucha el himno Núm. 60 del Himnario Bautista, C.B.P. "Tú dejaste tu trono y corona por mí", primera y tercera estrofas. Salen lentamente.)

ESCENA III

(En esta escena pueden arreglarse unas ramas recargadas al fondo del escenario. Se pueden recortar en cartón grueso unas tres o cuatro ovejas a las que se les pondrá algodón se acomodan estratégicamente entre lo que serán los árboles. También pueden dibujarse unas montañas y acomodar las ovejas de la misma manera.)

SIMON. *(Caminando de un lado a otro.)* —Hace tiempo que declinó el sol y Abdiel no llega de Belén. ¿Le habrá sucedido algún percance? Siento temor; han llegado rumores a nuestra aldea de que por el camino han asaltado a algunos de los viajeros que no vienen en caravanas, quitándoles sus pertenencias. Mas debo confiar; el Señor cuida de sus hijos. El mismo rey David dice en uno de sus bellos cantos "Guarda mi alma y líbrame." *(Se escuchan pasos.)* ¿Quién anda allí?

ABDIEL. —Padre, no tengas temor, soy Abdiel.

SIMON. —Acércate, no te veo en la oscuridad.

ABDIEL. *(Es el mismo joven que habló en Belén con José y María.)* —¡Mira padre, quién viene conmigo!

BARUC. —¡La paz de Dios, te acompañe, tío. *(Hace una reverencia.)*

SIMON. *(Se abrazan.)* —Pero... si eres el pequeño Baruc, hijo de mi querido hermano Isaí. ¡Déjame verte bien! ¡Cómo has crecido!

BARUC. —¡Así es, tío! Como puedes observar, no estoy tan pequeño... soy todo un joven fuerte y lleno de salud.

SIMON. *(Tomándolo de las manos.)* —¡Cuéntame, cuéntame! ¿Cuándo llegaron? En la tarde que salí de casa dejé a mi mujer arreglando la habitación donde los hospedaría.

BARUC. —Estaba anocheciendo. Mi tía y mis primos nos recibieron con mucho gusto.

ABDIEL. —Después de las salutaciones nos pusimos a platicar, mis tíos con mi madre, Baruc y mis otros primos con mis hermanos y conmigo. Por eso se me hizo tarde. Mi primo Baruc, cuando supo que vendría al campo a traerte la cena y ayudarte a cuidar las ovejas en las vigilias de la noche, quiso acompañarme.

SIMON. —¡Qué bueno muchacho, qué bueno que recuerdes lo que hacías antes de que se fueran a Jerusalén!

BARUC. —Será hermoso volver a sentir sobre mi cabeza el frío de la noche mientras en la bóveda celeste se miran brillar las estrellas.

ABDIEL. —A ver si tu cuerpo aguanta dormir en el suelo duro.

SIMON. —Pero sentémonos y veamos qué trajo Abdiel para cenar, que la noche es larga y fría. *(Se acomodan en el suelo.)*

ABDIEL. —Padre, nosotros hemos cenado antes de venirnos, mi madre puso para ti de las viandas que mis tíos trajeron desde Jerusalén. *(Saca de una bolsa un envoltorio donde irá pan, queso, un trozo de carne, etc.)*

SIMON. *(Acercando algo de lo mencionado a su boca, sin comerlo.)* —Gracias Señor por darnos lo necesario. Dime, Baruc, ¿no tuvieron ningún contratiempo en el camino?

BARUC. —¡Grande es la misericordia de Jehovah y nos ha cuidado!

ABDIEL. —Algunas de las gentes que han llegado a Belén se

han quejado ante las autoridades de haber sido asaltadas por el camino.

BARUC. —Son grupos de los inconformes con el gobierno romano que tienen sus cuadrillas por toda Palestina.

SIMON. —¿Adónde quieren llegar? Si es a los del propio pueblo a quienes roban, no a los gobernantes.

ABDIEL. —He sabido que ellos dicen que lo que hacen es sólo para reunir fondos que necesitan para su causa.

SIMON. —Pero... ¿qué causa?

BARUC. —Derrocar a los que nos subyugan, es decir, al Imperio Romano, del cual todos ya estamos hartos.

SIMON. —Ustedes son muy jóvenes y casi siempre el joven es emotivo y hay gente que sabe manejar la situación para su propio provecho. No digo que las intenciones de los que hacen tales cosas no sean sinceras, pero... ¿lograrán lo que se proponen? ¿Ustedes creen que con elementos de labranza o con palos se pueda derrocar un imperio? Eso no es posible.

BARUC. —En Jerusalén se escuchan muchas versiones; con eso de que le ayudo a mi padre en la venta de los animales para los sacrificios en el templo, me entero por gente de la que allá llega.

ABDIEL. —Mi padre me ha platicado que en otras ocasiones hubo levantamientos que de inmediato fueron sofocados. Eso sucederá siempre; ellos son un imperio que domina al mundo; nosotros... un pobre pueblo bajo su dominio, faltos de un verdadero líder a quien seguir y a quien imitar, y desde luego, en quien creer.

SIMON. —Es triste oírte hablar así, hijo mío. Parece que has olvidado todas las verdades que vienen de Jehovah. Y que con tanta dedicación y empeño te he enseñado.

ABDIEL. —No lo he olvidado, padre. Desde niño me has enseñado el cuidado que a través de las generaciones ha tenido Jehovah con su pueblo, y que debemos esperar al

Mesías prometido de Israel. Es una realidad que se cumplirá, pero que quizá no nos toque vivirla.

BARUC. —Pienso distinto que tú, primo Abdiel. Hace unos días escuchaba en el templo de Jerusalén lo que el principal sacerdote leía en uno de los pergaminos y decía: "Mas no habrá siempre oscuridad para la que está ahora en angustia. El pueblo que andaba en tinieblas vio gran luz; los que moraban en tierra de sombra de muerte, luz resplandeció sobre ellos."

SIMON. —La esperanza nuestra descansa en que Jehovah cumple siempre sus promesas, e Isaías dice: "Quebraste su pesado yugo y el cetro de su opresor." Ya se ve vislumbrar ese día en que veremos que esto acontezca.

ABDIEL. —Mientras tanto debemos seguir soportando la presencia de los romanos por doquiera que vayamos.

BARUC. —También lo del empadronamiento. Muchas gentes que hace tiempo salieron de sus lugares de origen, han tenido que regresar a ellos a empadronarse, como ha sucedido con nosotros.

ABDIEL. —¡Cuántos viajeros han llegado! Todos con sus antepasados en nuestra pequeña Belén. Con decirles que no hay disponible ni una sola habitación en el mesón del pueblo.

BARUC. —¡Qué bueno que contamos con ustedes que nos han podido hospedar! Vi viajeros acomodados hasta en los portales, donde pasarán la noche; y... ¡con el frío que hace!

ABDIEL. —Eso me hace recordar a la pareja que encontré cuando caminaba por una de las calles. La mujer estaba próxima a dar a luz; buscaban quien los hospedara aunque fuera en un rincón para pasar la noche. ¡Qué tristeza sentí al no poderlos ayudar!

SIMON. —Ya no pienses en ellos hijo. Sé que tienes un corazón noble y bueno y si hubiéramos tenido espacio en nuestra casa allí estarían en estos momentos, bajo nuestro techo.

ABDIEL. (Estirando sus brazos y bostezando.) —Tengo sueño...

la noche ha avanzado, las ovejas están quietas y recogidas, ¿podremos descansar un rato? A mi primo lo vence el sueño.

SIMON. —Baruc es el más fatigado. Llegando de Jerusalén se vino hasta este lugar; pero... duerman los dos, yo haré esta vigilia.

BARUC. —Te lo agradezco, tío. En verdad que estoy agotado por el viaje, me caerá muy bien un sueñito; con el cansancio que tengo te aseguro que voy a sentir blando el suelo y el ambiente cálido.

(Se escucha de pronto el himno "Angeles cantando están", Núm. 67 de Himnario Bautista, primero suavemente y luego subiendo gradualmente el volumen. Se ilumina poco a poco el lugar en dirección de donde entrará el ángel, o un grupo de ángeles que puede ser el coro juvenil con túnicas blancas. Los ángeles se acomodan viendo al auditorio y cantando; al terminar el himno salen; sólo quedará el que da la buena nueva.)

SIMON. —Pero... ¿qué es lo que acontece? ¿De dónde viene ese resplandor? *(Retroceden los tres con temor.)*

ABDIEL. —¡Se escuchan cantos celestiales!

BARUC. —¡Son ángeles que traen algún mensaje especial!

SIMON. —Guardemos silencio y escuchemos lo que dicen en su canto.

(Si no cuenta con un grupo de jóvenes, pueden ser tres o cuatro los que acompañan al ángel que hablará. Si en su localidad puede conseguir hielo seco para hacer el efecto de humo o de nubes daría a este momento un apoyo muy especial. Si no cuenta con un coro, use himnos grabados.)

ANGEL. *(Señorita o joven con túnica blanca, puede o no llevar alas.)* —"No temáis; porque he aquí os doy nuevas de gran gozo, que será para todo el pueblo: que hoy, en la ciudad de David, os ha nacido un Salvador, que es Cristo el Señor."

SIMON. —Pero... ¿cómo podremos encontrarle?

ANGEL. —"Esto os servirá de señal: Hallaréis al niño envuelto en pañales acostado en un pesebre." *(Sale.)*

ABDIEL. —¡Esta sí que es la noticia sin igual jamás oída!

SIMON. —¡Gracias Padre Eterno! Tenemos al Mesías entre nosotros del cual el profeta dijo: "Porque un niño nos es nacido, hijo nos es dado, y el principado sobre su hombro...

BARUC. —Y se llamará su nombre Admirable, Consejero, Dios fuerte, Padre eterno, Príncipe de paz."

ABDIEL. *(Con entusiasmo.)* —¡Qué maravilla! ¡Qué privilegio oír esta gran noticia unos pobres pastores de Belén!

SIMON. —Les dije, queridos jóvenes, que no deberíamos perder la esperanza. La profecía tenía su día para cumplirse, y éste ha sido hoy. También el profeta Miqueas dijo: "Pero tú, Belén Efrata, pequeña para estar entre las familias de Judá, de ti me saldrá el que será Señor en Israel."

BARUC. —¿No creen que es tiempo de que vayamos a buscarlo?

ABDIEL. —Todavía resuena el canto de los ángeles con que anunciaron su nacimiento. Cristo vino al mundo para revelar a Dios ante los hombres, y lo hizo por medio de la encarnación.

SIMON. —Ahora Dios se revela en ese pequeño niño para ver si de esa manera la gente lo puede comprender, al hacerse humano como nosotros, pero revestido de su total deidad.

BARUC. —Estoy ansioso de llegar a Belén y conocer al Hijo de Dios para poderle adorar.

SIMON. —Tendremos que irnos por el camino más corto para llegar pronto, después de que le adoremos pasaremos a nuestra casa para dar esta noticia sin igual a nuestra familia y también a todo el pueblo.

ABDIEL. —Sí, sí, caminemos gozosos, alabando al Señor por su gran manifestación. *(Salen.)*

(Se escucha el himno Núm. 62 del Himnario Bautista, *"Hoy
la nueva dad", o el Núm. 73 del mismo himnario, "Ve, dilo en
las montañas". Si usó el coro como ya se describió antes, puede
entrar al momento que salen los pastores cantando cualquiera
de estos himnos u otro apropiado. Se cierra el telón.)*

ESCENA IV

*(Cuadro plástico del nacimiento. Aparece María sentada
con el niño en brazos, José a un lado, la mujer que los llevó al
establo al otro lado, los pastores arrodillados. Aquí, si participó
el coro como ángeles, podrán acomodarse en la parte de atrás
del nacimiento y cantar "¡Al mundo paz, nació Jesús" [Núm. 76*
Himnario Bautista]*, o si no, toda la congregación canta "Noche
de paz". Al terminar se cierra el telón.)*

UNA NUEVA ESTRELLA

Joel Alfaro Valle

PERSONAJES POR ORDEN DE APARICION:

Mamá Tita: anciana de rostro dulce. Abuela.
Caro: Niña de 7 años.
Ernesto: Niño de 6 años (Neto).
Josías: Mensajero del rey Herodes.
Mesalón: Pastor. Hombre joven de 33 años.
Rut: Mujer joven, madre de 2 niños.
Tirsa: Niña de 11 años.
Elí: Niño de 9 años.
Viajero: Hombre maduro.
Esposa: Mujer embarazada. Rostro dulce y apacible.
Ezequías: Anciano, padre de Mesalón.
Jonatán: Pastor adulto.
Maquir: Pastor adolescente.
Acab: Hombre joven, hermano de Mesalón.
Raquel: Mujer joven, madre de 2 niños.
Miguel Angel: Hombre de 33 años, avejentado, ex alcóholico. Rostro macilento.

ACTO I

ESCENA I

(La escenografía representa el cuarto de una casa humilde. Epoca actual. Una cama, un tocador, dos o tres cuadros, un televisor, una mecedora metálica, dos sillas. Al fondo a la izquierda una cocina, una mesa y una ventana. A la derecha la puerta que da a la calle. Al lado opuesto una puerta que da a otro cuarto de la casa.)

(Mamá Tita arregla la ropa y la guarda. Es de noche. Los pequeños, ya con ropa de dormir, juegan alrededor de la cama.)

CARO. —¡Abue, abuelita, abuelita Neto me está asustando!

Dice que del otro cuarto saldrá un monstruo que nos llevará.

NETO. —¡No es cierto, abuelita! Ella es quien me está asustando. ¡Mentirosa! ¡Tú fuiste quien me asustó! Abue, además dijo que papá ya no volverá. Que se fue para siempre. ¿Verdad que no, abue?

MAMA TITA: —A ver, a ver, a ver. Pongamos orden en estos niños que ya deberían estar dormidos. Quiero verlos en la cama. ¡Vamos, arriba! Mamá ya no tarda en venir de su trabajo y no quiero que se vaya a disgustar.

NETO. —Yo no quiero acostarme todavía, hasta que venga mi mamá.

MAMA TITA. —Nada de eso, se van ya a la cama.

CARO. —Pero préndenos la tele. Tenemos miedo. La noche es muy fea. A mí no me gusta.

MAMA TITA. —Esa tele que quieren nos asusta más con esos programas horribles que sólo nos enseñan sangre y violencia.

CARO. —No es cierto, abuelita, anda préndenos la tele.

NETO. —¡Sí, sí! Yo no me duermo sin la tele.

MAMA TITA. *(Muy cariñosa, pero con autoridad.)* —Es más hermoso estar platicando o contando historias entre nosotros que estar perdidos en ese aparato de luz.

CARO. *(Inconforme todavía.)* —¡Ay, abue, es que en tus tiempos no había y por eso no te gusta!

MAMA TITA. —Nada de eso. *(Los sube con cariño a la cama y empieza a acomodarlos.)* Pero dejemos todo. Hay que descansar. A mamita le dará mucho gusto encontrarlos dormidos. Recuerden que hoy es Navidad.

NETO. —Prometiste que nos contarías algo.

CARO. —Si nos dormimos, no te vayas a ir al otro cuarto. Yo tengo mucho miedo. *(Se cubre con las cobijas.)*

MAMA TITA. *(Canta suavemente.)* —Los niños son de Cristo, él es su salvador, son joyas muy preciosas...

NETO. *(La interrumpe.)* —¡Ese es un corito del templo!

MAMA TITA. *(Sonriendo.)* —Pues sí, pero dice la verdad, ¿o no? Además esos niños de Cristo no deben temerle a la noche. Dios la hizo para descansar. Es muy hermosa. La Navidad del Señor Jesús fue de noche. Una muy parecida a ésta y fue anunciada por una linda estrella.

NETO. *(Se levanta corriendo de la cama y se asoma por la ventana cercana a la mesa de la cocina.)* —Aquí ni se ven las estrellas.

MAMA TITA. *(Trayéndolo cariñosamente.)* —Sí, lo que pasa es que nosotros estamos tan ocupados en la tierra que ya no volteamos a contemplar el cielo con sus miles de estrellas.

CARO. —¿Y cuál es la estrella de Belén?

MAMA TITA. —Ahora ya no está. Sólo apareció en aquellas noches milagrosas en que el Señor Jesús vino a nacer y ser adorado por los magos de oriente.

CARO. *(Interesada ya en la conversación.)* —¿Por eso dice la tele que debemos comprar y dar regalos?

NETO. —Nosotros no celebramos la Navidad, ¿verdad, abuela?

MAMA TITA. —Como lo dice la tele, no. Pero sí como lo dice la Palabra de Dios, en el corazón, en nuestro templo. Como debe de ser en verdad.

CARO. —¿Y cuál es la verdad, abuela?

MAMA TITA. —La verdad es que la primera Navidad fue anunciada por una nueva estrella luminosa aparecida en el firmamento. Años después la gente sabía que se acercaba tan significativa fecha gracias al calor de sus corazones, las sonrisas en los labios y las miradas ansiosas en los ojos de los niños. Estos signos: estrellas, sonrisas, calorcillo y miradas; son ya cosas del pasado. El mundo moderno los mandó al cesto de la basura. Como muchas cosas en este mundo, ahora el anuncio de la Navidad está a cargo de las grandes tiendas, de la tele. Los niños de hoy saben que la fecha se acerca por los pinos de plástico, las esferas, los focos, Santa Claus y los avisos de compre, coma, beba, aproveche, compre. Esas son las modernas estrellas que anuncian la Navidad. ¡Qué triste!, ¿verdad? Por eso les digo que la tele se encarga de poner a los niños al tanto del último juguete. Y todos creen en esa moderna Navidad.

CARO. —Entonces, ¿qué es la Navidad, mamá Tita?

MAMA TITA. *(Se sienta en la mecedora, habla como diciéndoselo a ella misma.)* —Es el verdadero arrepentimiento del corazón. Nacer a una nueva vida. Reconocer que Dios es el autor de los milagros. Estar juntos y en paz. *(Empieza a llorar.)* Nunca perder la esperanza e implorar por todos los que no imploran.

CARO. *(Se sienta en la cama.)* —¿Estás llorando mamá Tita? *(Le enjuga las lágrimas.)*

MAMA TITA. *(Sobreponiéndose.)* —No, fue una basurita en el ojo. Vamos a hacer nuestra oración. *(Los niños se incorporan en la cama en actitud de oración.)* Pidan a Dios lo que quieran. Que salga de su corazón.

NETO. —Yo te pido, Dios, que traigas a papá de nuevo a la casa.

CARO. —Pero que ya no sea malo. Que no le pegue a mamá ni a nosotros.

NETO. —Que ya no grite tan feo.

MAMA TITA. —Y que sea el hijo hermoso. Como tú, mi pequeño *(abraza a Neto)*, indefenso, tierno, inocente y cariñoso.

NETO. *(Voltea a ver a su abuela.)* —¿Y si lo trae, mamá Tita?

MAMA TITA. —Cuando pedimos con fe y es para nuestra bendición, sí, él llegará. Acuéstense y les contaré una bella historia de un milagro de arrepentimiento y fe en esa noche de la Navidad en que apareció en el cielo UNA NUEVA ESTRELLA.

(Se cierra el telón.)

ACTO II

ESCENA I

(Al amanecer. La escenografía quedará indicada como parezca más conveniente al director o al escenógrafo. Se representará un campo hebreo. Una humilde casa de la época del nacimiento de Cristo. A lo lejos montañas y laderas.)

(Un hombre misterioso, vestido de romano, aguarda impacientemente. Aparece Mesalón saliendo de la casa y cuidándose de no ser visto.)

JOSIAS. —Mesalón, aquí te envía el rey Herodes esta recompensa por tus servicios. Recuerda que debes hacerle llegar a la mayor brevedad posible las noticias que él espera. *(Le entrega una talega de monedas.)*

MESALON. *(La toma y la guarda entre sus ropas.)* —Según nuestros conocedores ha llegado el tiempo en el que se ha de cumplir la promesa del nacimiento del rey.

JOSIAS. —Me buscas en palacio, cerca de la puerta pequeña de occidente, en el momento que sepas en qué casa está el nuevo rey.

MESALON. —No tengas cuidado. Hoy se reúne toda mi familia en la hora de la comida de la tarde y allí les preguntaré exactamente el dato para hacértelo llegar.

JOSIAS. —Recibirás mayor recompensa cuando esté todo terminado. *(Irónico.)*

MESALON. —¿Terminado? Pues, ¿qué piensan hacer?

JOSIAS. *(Nervioso, tratando de desviar la plática.)* —Adorarle... sí, sí... adorarle. Nada más que adorarle. Mi rey considera que no debe estar el nuevo soberano en una humilde casa de Belén, sino en palacio. Eso es todo. Llevarlo al lugar que merece.

MESALON. —¡Ah!, bueno. Hoy les diré a todos que...

JOSIAS. *(Interrumpiendo.)* —No. Nadie debe saber nada. Será un secreto entre tú y yo. *(Tratando de aparentar sinceridad.)* Queremos que sea una sorpresa para todo el pueblo de Israel. Para que por fin la promesa se cumpla.

MESALON. —Está bien, guardaré el secreto. Pero... ¿y si se enteran al verme con estas monedas?

JOSIAS. —Diles que has vendido los cuernos de los carneros y algunas pieles a los comerciantes de la caravana de Egipto. Todos te creerán. Bueno, me voy y recuerda, nadie debe saber nada. Ni tu familia. ¿Entendido?

MESALON. —Descuida, nadie.

(Josías se aleja y Mesalón se queda pensativo hablando consigo mismo.)

MESALON. —Nadie sabrá nada, pero... el que oculta algo es como si mintiera... estoy mintiendo... ¿Por qué no quieren que se sepa nada? ¿Será malo?

RUT. *(Sale de la casa y se acerca a su esposo sin ser vista. Al tocarlo lo sobresalta.)* —¿Quién era?

MESALON. —¡Ah! ¡Me asustaste!

RUT. *(Asombrada.)* —¿Asustarte? ¿Por qué? Te pregunté que quién era.

MESALON. *(Sin saber qué decir.)* —Era... ¡era un forastero! Buscaba una ruta.

RUT. —¿Forastero?

MESALON. *(Cambiando de tema.)* —Sí, ¡olvídalo! ¿Está todo listo ya...?

RUT. *(Lo abraza.)* —Sí, esposo mío, ya está todo listo para la celebración de la sucesión de autoridad que tu padre te dará. Vendrán tus hermanos y nuestros amados a la comida de la tarde.

MESALON. —Entonces regreso pronto.

RUT. —¿Llevarás el rebaño?

MESALON. —No, voy al campo y regreso, no tardo. *(Se despide.)*

RUT. —Vayamos pues a nuestras ocupaciones. *(Entra a la casa.)*

ESCENA II

(Mismo escenario. Salen Tirsa y Elí de la casa. Acaban de levantarse y se desperezan.)

TIRSA. *(Levantando los brazos y respirando profundo.)* —Me gusta este día. Verdaderamente es hermoso. Será un día estupendo.

ELI. —¿Y tú cómo sabes?

TIRSA. —Porque siento el calorcito del sol que baña todo mi cuerpo.

ELI. —¿Quieres que hoy vayamos al campo de los pastores y busquemos a Acab? Dijo que llevaría allá sus ovejas.

TIRSA. —Creo que no. Quiero ayudar a mamá a preparar el pan y la mantequilla. Papá hoy no fue al redil. ¿Sabes por qué?

ELI. —No.

TIRSA. —Porque hoy es un día muy importante. Recibirá la bendición de nuestro abuelo.

ELI. —No sabía. Con razón no lo sentí salir esta mañana. Oigo a las ovejas todavía en el corral esperando a su pastor.

TIRSA. —Qué bello, ¿verdad? Son igualitas que nosotros.

ELI. —¿A nosotros?

TIRSA. —Sí. Nosotros estamos esperando a nuestro Salvador. Dicen las escrituras de los profetas que el tiempo ha llegado en que debe nacer en Belén.

(Cruza una pareja de forasteros. De ser posible ella sobre un burrito.)

VIAJERO. —Buen día, pequeños.

LOS DOS. —Buenos días.

VIAJERO. —¿Falta mucho para llegar a Belén?

ELI. —No Señor, ya llegó. Estas son las afueras. Al bajar esta ladera encontrará las casas.

VIAJERO. —¿Habrá hospedaje? Mi esposa viene cansada y a punto de dar a luz. ¿Está vuestra madre?

TIRSA. —¡Mamá, mamá! ¡Un forastero te busca!

RUT. *(Sale con ademanes de haber estado trabajando.)* —Buen día. La paz de Dios sea con ustedes.

VIAJERO. —Buscamos hospedaje.

RUT. —Creo que no podremos ayudarles. La casa es pequeña y somos muchos, pero sí les daremos alimento y agua. Pasen, descansen. Más adelante encontrarán hospedaje, estoy segura.

VIAJERO. —Nuestro camino ha sido caliente y polvoroso durante el día, frío por las noches. Pero venimos para cumplir con el edicto de Augusto César para ser empadronados en nuestra ciudad. Yo soy de la casa y de la familia de David. Creo que no descansaremos, preferimos llegar antes de que caiga la noche. *(Se prepara para emprender nuevamente su camino.)*

RUT. —Quisiéramos poder obedecer el mandato de Dios de que seamos hospitalarios. Pasen, agua, pan y sal hay entre nosotros. Faltan ya pocas horas para la comida de la tarde. Mi suegro y los hermanos de mi esposo han de venir. Comeremos carne, verduras, mantequilla y vino. No puedo ofrecerles otra cosa.

VIAJERO. —Gracias, en verdad no. Seguiremos al hospedaje de Belén. En esta tierra estamos seguros de que ningún mal nos sobrevendrá. Hasta pronto.

RUT. —Adiós. *(Todos los despiden.)*

TIRSA. —Sin conocerlos, siento que son una hermosa familia. Reflejan una hermosa paz que contagia el corazón.

RUT. —¿Te fijaste, hija, con cuánto amor espera a su hijo esa mujer?

ELI. *(Interrumpiendo.)* —Tirsa, ¿me acompañas o no a la majada? Los pastores están atareados con el ahijadero.

TIRSA. —¿Regresaremos a tiempo para la comida?

ELI. —Sí. Las borreguitas Pura, Blanca, Listada y Morena acaban de tener sus crías y las quiero conocer. Yo como su futuro pastor, porque soy el más pequeño, las tengo que conocer íntimamente.

RUT. —Estoy segura de que serás el mejor pastor, hijito.

ELI. —Claro que sí, siempre las guiaré por senderos seguros. No les permitiré entrar a lugares prohibidos.

TIRSA. —Ni a los trigales maduros, ni a las tierras de cosechas. Sólo por el verdadero sendero.

ELI. *(Desesperado)* —Anda, vamos ya.

TIRSA. —Volveremos luego, mamá, no tardamos.

RUT. —¡Mucho cuidado, hijitos!

ELI. —¡A que no me alcanzas! ¡Yo te gano, Tirsa! ¡No me alcanzas!

ESCENA III

(Las luces se encienden sobre el escenario que representa el interior de una casa hebrea. Los hombres adultos sentados alrededor de una mesa bajita y pequeña, a la costumbre oriental. Los más jóvenes de pie. A la derecha la puerta al exterior. Al fondo una ventana rústica que permite contemplar el paisaje de Belén. Utensilios de cocina y pieles. De ser posible camastros. Todo muy humilde y rústico.)

EZEQUIAS. *(Casi llorando, muy emocionado.)* —Gracias, hijos, por reunirse a la mesa conmigo. Hoy tú, Mesalón, recibirás mi autoridad y mi herencia. Estoy viejo ya y es mejor así. Por tres cosas tiembla la tierra.

ACAB. —Y la cuarta no puede soportar.

JONATAN. —Por el esclavo, cuando llega a ser rey.

MESALON. —A unos labios lisonjeros y un corazón malo que son como la escoria de plata, echada sobre el tiesto.

ACAB. —A una lengua llena de mentira.

EZEQUIAS. —Yo como pastor de mi familia la cuidé, al igual que lo hice con mis ovejas cuando vino un peligro, un oso o un león que quiso tomarlas. Salí tras él, lo herí, y libré a mis corderos de su boca. Y si aún ahora se levantaran contra mí, los mataría. Entiende esto, mi hijo, a ti te corresponderá ahora cuidar a tu familia.

MESALON. —Gracias, padre. *(En actitud sumisa.)*

JONATAN. —Debemos prepararnos para la fiesta de la trasquila de las ovejas.

EZEQUIAS. —Escogerás también entre tus hijos al más joven para que él sea el nuevo pastor de tus rebaños. Le entregarás el redil que hemos hecho fuera de Belén.

ACAB. —Tendrás que hacer planes nuevos. Ahora todo cambiará en tu vida.

JONATAN. —Así como cambiará la vida del pueblo de Israel cuando nazca el nuevo rey, soberano y salvador.

MAQUIR. —Estos son los últimos días en que la profecía del profeta Isaías ha de cumplirse.

EZEQUIAS. —A mí no me será dado presenciar tan hermoso milagro.

MAQUIR. *(Acercándose a él y poniéndole un brazo sobre el hombro.)* —Sí, padre, usted verá eso y mucho más.

EZEQUIAS. *(Poniéndose de pie y le imitan todos los demás.)* —Sé digno, hijo mío, yo te bendigo. *(Todos cierran los ojos reverentemente, con la cabeza inclinada. Ezequías levanta las manos al cielo y habla.)* Mira el olor de mi hijo, como el olor del campo que Jehová ha bendecido. Dios, pues, te dé del rocío del cielo, y de las grosuras de la tierra, y abundancia de trigo y de mosto. Sírvante pueblos, naciones se inclinen a ti. Sé Señor de tus hermanos, y se inclinen ante ti los hijos de tu madre.

(Oran en silencio y permanecen en reverencia, mientras se escucha a lo lejos un hermoso himno. Al término de éste se oyen los gritos desesperados de Elí, el pequeño de la familia. Entra muy angustiado.)

ELI. —¡Papá, mamá, abuelo! ¡Tirsa se ha quedado ciega! ¡Mamacita, Tirsa no ve nada!

EZEQUIAS. *(Imponiendo la calma.)* —Tranquilos, tenemos fe en que no será nada grave.

JONATAN. —Recuerden que toda salud es una promesa de Dios.

ACAB. —Sí, pero con la condición de que obedezcamos su ley.

(Sale Mesalón y unos instantes después regresa trayendo a su hija que a pesar de su ceguera viene tranquila, aunque un poco asustada.)

RUT. —Siéntala aquí, esposo mío.

EZEQUIAS. —Permitan que pase la poca luz que queda de la tarde. Voy a examinarla.

(La examina detenidamente mientras los demás hacen conjeturas. Rut ora en silencio en compañía de los pequeños.)

JONATAN. —¿Has obedecido en todo al Señor? *(Dirigiéndose a Mesalón.)*

ACAB. —¿No le has guardado secretos a Dios, verdad? *(También dirigiéndose a su hermano.)*

MESALON. *(Sorprendido, como tratando de recordar y hacer un examen de conciencia.)* —¿Secretos? No. Secretos, no.

EZEQUIAS. —Es muy común entre nosotros esta ceguera repentina.

RUT. *(Acercándose a su hija y abrazándola con ternura.)* —¿No te duelen los ojos, hijita?

TIRSA. —No mamá, pero no veo nada. Todo está oscuro. No los veo a ustedes.

RUT. *(Cariñosa, tratando de infundirle seguridad.)* —No tengas miedo. Mamá y todos estamos contigo. Repite esta oración: "Jehová, mi Dios, me tiene en su mano."

EZEQUIAS. *(Dirigiéndose a los varones, explicando.)* —Esta ceguera tan repentina ha sido causada por la plaga de moscas que nos ataca, se agrava por la tierra, el polvo y la luz intensa de estas tierras desérticas. *(Dirigiéndose a su nuera.)* —¡Lávale muy bien los ojos! ¡Cúbrela y que repose! Oremos a Dios porque todo pase pronto.

JONATAN. —Nosotros nos vamos. Pronto será de noche y tenemos que llegar hasta nuestros rebaños.

MESALON. *(A sus hermanos.)* —Adelántense. Guardaremos la vigilia de la noche sobre nuestro ganado. Preparen con hierbas frescas las camas para nuestro reposo.

ACAB. —No olvidaremos el fuego.

JONATAN. —Nos vamos Mesalón, pide a Dios un milagro.

(Salen todos los hermanos, despidiéndose de su cuñada y de los pequeños.)

EZEQUIAS. —No te preocupes hijo, tú no has cometido pecado que haya caído sobre tu hija. *(Sale también.)*

MESALON. *(Se queda hablando solo, como para sí mismo.)* —No he cometido pecado que haya caído sobre mi hija...

RUT. *(Se acerca a su esposo y se protege en sus brazos.)* —Amado, esposo mío, ¿qué habremos hecho de malo ante Dios? ¿Cuál es nuestro pecado?

MESALON. *(De pronto se ilumina su rostro y se preocupa más.)* —¡He pecado, amada mía! Ahora entiendo. Estas monedas me queman las manos. *(Saca de su cinto una talega de mo-nedas.)* ¡Qué torpe he sido! ¡Claro, este es el pago de mi traición!

RUT. *(Se separa de él, sorprendida.)* —¿Tu traición? ¿Monedas? No te entiendo... Me asustas.

MESALON. *(Explicándole a su esposa.)* —Un hombre del rey Herodes, a quien viste conmigo este amanecer, quería saber el lugar donde nacería nuestro rey y salvador. Me pagó para que yo le llevara la noticia.

RUT. *(Asustada.)* —Para...

MESALON. *(Interrumpiéndola.)* —Sí, para matarlo. Ahora comprendo porqué me pidió silencio. Quería que todo esto quedara en secreto entre él y yo. ¡Traidor! *(Cae de rodillas y llorando.)* —¡Yo soy un traidor! ¡No quiero nada! *(Arroja las monedas.)* Sólo imploro tu perdón oh, Dios. *(Llora desgarra-damente.)*

RUT. *(Se arrodilla junto a él.)* —Llora, esposo mío, que tus lágri-mas puras consuelo te han de dar. Dios nuestro Señor conoce tu corazón y sabe de tu arrepentimiento. El no per-mitió más. El nos dará el milagro de su perdón en la luz de Tirsa. Nuestra hija, su hija. *(Le acaricia el pelo.)* Ahora recuerdo el nuevo pacto de Dios que nos dice el profeta Jeremías: "Cada cual morirá por su propia maldad." Tu pecado no alcanza a nuestra hija de ninguna manera. Llora, esposo mío. ¡Los días del nuevo pacto han llegado!

(Se cierra el telón.)

ESCENA IV

(El mismo escenario. Ya es de noche. Todo está silencioso y tranquilo. El niño más pequeño duerme. Tirsa sentada junto a la mesa. Su madre carda con diligencia. Muy poca luz. Por la ventana del fondo se ven las pequeñas luces de Belén.)

TIRSA. —Mamá. Ya es de noche, ¿verdad?

RUT. —Sí, hija.

TIRSA. —Se escucha un hermoso silencio. Mi corazón me dice que esta noche es diferente a las demás.

RUT. —Sí hija, es diferente.

TIRSA. —Tan sólo se escucha el murmullo de la noche y el canto lejano de los pastores guardando la vela de la noche sobre los ganados. Ahora que no veo, escucho mucho mejor.

RUT. *(Dejando su trabajo y acercándose a su hija.)* —Acuéstate ya, hija. Descansa. Recuerda lo que dijo el abuelo.

TIRSA. —No mamá. *(Suplicante.)* Acércame a la ventana. Quiero contemplar el cielo estrellado.

RUT. *(Sorprendida.)* —¿Mirar el cielo? Pero...

TIRSA. —Sí, mamá. Con los ojos del corazón se ve más hermoso, ¿sabes por qué? Porque allí sí hay luz, porque hay esperanza. Esta prueba pronto pasará. Estoy segura. Ten fe.

RUT. *(La guía y le coloca a su hija una silla cerca de la ventana. Se sorprende al ver que de pronto se intensifica la luz de afuera. Un resplandor plateado ilumina sus rostros. Se asoma.)* —¡Qué extraño! Una nueva estrella ilumina el firmamento. Y está sobre nuestro pueblo. Sobre la pequeña ciudad de Belén.

TIRSA. —¿Ves mamá? ¡Yo tenía razón!

RUT. —Hay una hermosa claridad sobre toda la tierra. *(Contempla unos instantes y se escucha una música hermosa, angelical.)* Alguien viene a lo lejos.

ELI. *(Se escucha su voz antes de entrar a escena.)* —¡Mamá, Tirsa, mamá!

RUT. *(Dirigiéndose a la puerta.)* —¡Hijo! ¿Qué pasa?

ELI. *(Entra agitado.)* —¡Fue hermoso, mamá!, ¡Fue hermoso! ¡Qué precioso!

RUT. *(Abrazándolo.)* —¡Qué, hijito, qué!

ELI. —Un ángel bajó del cielo y nos anunció nuevas de gran gozo que será para todo el pueblo. Que ha nacido en esta ciudad de David un Salvador que es Cristo el Señor. *(Tirsa se pone de pie y se queda viendo por la ventana escuchando el himno lejano.)* ¡Papá, mis tíos y todos los demás pastores han ido a adorarlo!

(Se obscurece todo el escenario para dejar sola a Tirsa iluminada, quien poco a poco se arranca la venda y se queda viendo a los cielos a través de la ventana. Nuevamente se ilumina todo a la voz del grito de su madre.)

RUT. —¡Tirsa! ¡No! ¡Tirsa!

TIRSA. *(Llena de una calma hermosa.)* —No temas mamá. Todo ha pasado ya. Veo la nueva estrella que desde hoy será la esperanza y el mensaje de que Cristo el Señor ha nacido y nos espera para que le adoremos y le sirvamos.

ELI. —¡Vamos a adorarle!

TIRSA. *(Estática todavía.)* —Sí, vamos.

RUT. —¡Vamos a adorar al Salvador! ¡Hoy es la Navidad!

(Se cierra el telón.)

ACTO III

ESCENA I

(Epoca actual. El escenario representa la misma casa humilde del primer acto. Los niños ya duermen sobre la cama. La anciana abuela reposa también en la mecedora. Todo a media luz. En ese momento llega Raquel, la madre. Cansada se quita el abrigo. Besa a su hijo y a su suegra cuando de repente llaman a la puerta. Abre.)

RAQUEL. *(Al reconocer quien toca, trata de cerrar, pero él detiene la puerta con el pie.)* —¿Tú? ¿Qué es lo que quieres? ¡Déjanos en paz! Ya nos has hecho mucho daño. ¡Vete!

MIGUEL ANGEL. *(Insistente, suplicante.)* —¡Permíteme pasar y escúchame! Unos momentos nada más. ¡Te lo suplico! ¡Por la misericordia de Dios te lo ruego!

RAQUEL. *(Al escuchar lo último ella se hace a un lado y él entra.)* —Está bien. Pero te advierto que todo es inútil. Y habla bajito porque tu madre y los niños duermen ya.

MIGUEL ANGEL. *(Dando unos pasos hacia donde están su madre y sus hijos.)* —¡Mi madre, mis hijos! *(Se lleva las manos a los ojos.)* —¿Me creerías si te dijera que estoy rehabilitado?

RAQUEL. *(Dándole la espalda.)* —Eso es lo que siempre dices.

MIGUEL ANGEL. —Estoy sucio por fuera, pero dentro de mí han sucedido cosas maravillosas. Un doctor que dirige el dispensario me encontró en estado de coma, tirado en la calle, como un despojo humano. ¡Eso era yo! Me recogió, me llevó al hospital y allí me atendieron como si fuera yo el hombre más rico de la tierra. *(Ella se sienta a la mesa. Se cubre el rostro llorando.)* Cuando estuve consciente, vinieron a mí las crisis más espantosas por la falta de bebida. ¡No te puedes imaginar! Delirios, arrepentimiento, angustias, soledad, muerte! Hasta mi cama mandó Dios su misericordia, una jovencita que llevaba su mensaje. Era muy parecida a nuestra hija, a mi hija. *(Llora con sollozos desgarradores.)* Ella me habló del amor de Dios y por fin acepté al Señor Jesús en mi corazón como mi única salvación. Dios siempre tiene misericordia de nosotros, el problema es que nosotros no queremos aceptarla. *(Se queda de pié en el centro del escenario con el rostro bajo.)*

RAQUEL. *(Se levanta lentamente.)* —Gracias, Señor. ¡Perdona mi incredulidad! ¡Ayúdame! Tú, oh Dios, siempre muestras tu amor para con nosotros ¡Aumenta mi fe! *(Se dirige a su esposo.)* Perdóname tú también porque he dudado de que el Señor te rescataría. ¡Es que es tan horrible ese vicio!

(Se abrazan llorando. Se escucha el himno "Alcancé Salvación", Núm. 330 del Himnario Bautista, C. B. P.)

MIGUEL ANGEL. *(Más tranquilo.)* —Sí, tomar alcohol hasta

perder, olvidar a los seres amados, ofender a todo y a todos, ser el bufón en todas partes, no lo entiende uno sino hasta que está fuera de este remolino.

RAQUEL. —Si supieras cuánto sufrimiento he soportado todo este tiempo.

MIGUEL ANGEL. —Ahora lo sé. Y por eso vengo rendido a implorar de ti tu perdón. *(Se arrodilla delante de ella.)* Dame una oportunidad. Una sola cada día. Tan sólo una.

RAQUEL. *(Como dudando.)* —¡Es que es tan difícil...!

MIGUEL ANGEL. —Sí, lo sé. Ya me lo han dicho en Alcohólicos Anónimos. Estoy en el grupo y he aprendido a sobrevivir un sólo día. Ellos me han curado. Pero siento la sanidad en mi cuerpo que ha venido del Señor. He echado toda mi ansiedad sobre él porque él tiene cuidado de mí.

RAQUEL. *(Dirigiéndose a él, lo levanta.)* —Entiende, Miguel Angel. La enfermedad ya ha minado nuestra vida, la de nuestro matrimonio, la de tus hijos, la de tu madre. Nos hemos perdido tanto el respeto...

MIGUEL ANGEL. *(Suplicante.)* —Lo importante es que hoy el Señor me ha aceptado como soy para que la manifestación de su poder sea sobre mi debilidad. No me rechaces, Raquel. Cristo es engrandecido en mi cuerpo, lo siento, lo siento día con día. *(Tiembla.)* ¡Perdóname, como lo ha hecho el Señor Jesús!

RAQUEL. —Quién soy yo para negarte la oportunidad que pides. No necesitas consumirte en fuego para saber que Dios te ha perdonado. Pero este hogar que ves, son tan sólo ruinas. Te perdono. *(Lo toma lentamente de las manos y lo abraza maternalmente.)*

MIGUEL ANGEL. —Con la ayuda de Dios restauraremos todo lo que se ha perdido. Buscaremos primero la paz. Esa paz que nunca debí olvidar. Esa paz que me enseñó mi madre desde niño.

RAQUEL. —¡Bendita sea la paz que el mundo no puede dar!

MIGUEL ANGEL. —¡Seré el padre, el hombre, el esposo, el hijo, el siervo de Dios que nunca han tenido!

RAQUEL. *(Recordando.)* —Ahora entiendo por qué día con día tu madre me decía: "Como los muros de Jerusalén fueron restaurados, así será levantado este hogar. Sobre roca firme, piedra angular." Nuestro fue el Señor y nuestra la iglesia desde que te fuiste. Solas no habríamos podido con esta pena. Pero Dios, bendito sea él, fue más allá y te ha ayudado a regresar. Has venido a nacer hoy en esta Navidad, en este pesebre lleno de miseria, pero con la luz de esperanza y de fe.

MIGUEL ANGEL. —Dios ha hecho grandes cosas en mi vida. Me dijo: "Vete en paz, tus pecados te son perdonados."

RAQUEL. —Habitemos siempre al abrigo del Altísimo y moraremos en la paz del Omnipotente. En mis momentos de debilidad y tristeza Dios respondió a mi clamor con la presencia y el consejo sabio de tu madre anciana. A pesar de su edad ha sido el pilar fuerte que el Señor me ha puesto para sostén.

MIGUEL ANGEL. —¿Podrás volver a confiar en mí como cuando fuimos novios? Sé que es difícil, pero con la ayuda de Dios te demostraré día con día que te amo más. ¡Perdóname! ¡Vive conmigo estos sentimientos encontrados que me ahogan! La tristeza de haber perdido tanto tiempo hermoso para hacerlos felices y el gozo de hoy de la gracia de Dios en el perdón de mi vida pasada.

RAQUEL. *(Trata de reír en medio de su llanto.)* —Hoy de verdad es mi primera Navidad. ¡Oh dulce Jesús de alegría, junto a ti nuestra alma ansía encontrar consolación en esta tierra! Siempre serás nuestro anhelo. *(Dirigiéndose a su esposo.)* ¡Yo no tengo qué perdonarte! Sé que todo es el crisol en el que el Señor nos ha puesto para forjar nuestra nueva vida.

MIGUEL ANGEL. —Todo el tiempo que perdí lo remediaré dejando mi vida pasada.

MAMA TITA. —¿Qué sucede, hija?

RAQUEL. *(Enjugándose las lágrimas. Con voz de felicidad.)*
—Mamá Tita, venga a ver quién está aquí.

(La anciana se levanta y se acerca lentamente. Al reconocerlo se arroja a sus brazos.)

MAMA TITA. *(Llorando.)* —Hijo, hijito mío. El Señor me escuchó.

MIGUEL ANGEL. —Madre, perdóname. Mi Dios y mi esposa me han perdonado.

MAMA TITA. —Yo qué pudiera decirte, hijito. Si hasta la vida te di. Los niños todos los días preguntan por ti. Hoy, su oración de Navidad fue que vinieras, y ya les concedió el más hermoso de los regalos. ¡Abrázame! ¡Qué delgado estás! ¿Ya comiste?

RAQUEL. —Déjame preparar algo para que comas.

MIGUEL ANGEL. —Antes quisiera quitarme estos andrajos, asearme.

RAQUEL. *(Lo guía hasta la puerta del otro cuarto.)* —Todas tus cosas están en el mismo lugar que las dejaste, como si nunca te hubieras ido. Cuatro años de arreglarlo todo diariamente.

MIGUEL ANGEL. —No quisiera que mis hijos me vieran así.

RAQUEL. —Anda, ve.

MAMA TITA. —Anda, hijo mío. Nosotras prepararemos una cena para mi hijo pródigo que ha venido a nacer hoy.

(El sale de la habitación y las dos mujeres se dirigen a la parte del escenario que hace las veces de cocina y empiezan a preparar la cena.)

RAQUEL. —¿Sabe, mamá Tita? Estos cuatro años de ausencia se me hicieron eternos y no sé ahora cómo tratarlo. Después de todo lo que ha pasado.

MAMA TITA. —Dale de lo que tienes y todo será limpio. Ya hemos escapado del lazo en el que hemos estado cautivos.

Recuerda hija que el esfuerzo de muchos será la vida de todos. Quien quiere destruirnos es Satanás. El enemigo con sus garras sedientas de sangre va destrozando vidas, pero la felicidad de las promesas divinas se cumplen en nuestro hogar. ¿Recuerdas lo que te decía?

RAQUEL. —Sí, mamá Tita. Bueno, pero dejemos de llorar si no, nunca acabaremos.

(Se limpian los ojos con el delantal y agilizan su trabajo.)

MAMA TITA. —Antes de que llegaras, hablaba con los niños de la nueva estrella. ¿Sabes cuál es?

RAQUEL. —No.

MAMA TITA. —La nueva estrella es el amor, la fe y la esperanza. Y se ha hecho realidad. *(Levanta los ojos al cielo.)* Gracias oh, Dios, por ser tan fiel en tus promesas.

RAQUEL. *(Deja su quehacer y se limpia las manos.)* —Despertaré a mis hijos. Hoy empieza su nueva vida. *(Se dirige a la cama y mueve a los niños.)*

MAMA TITA. —Estas tortillas formarán la cena más rica de toda mi existencia.

RAQUEL. —Hijitos, hijos, despierten. El Señor les ha contestado su oración.

(Los niños se incorporan lentamente, frotándose los ojos.)

CARO. —Mama, mamita, tuve un sueño hermoso. *(La niña la abraza.)*

RAQUEL. —Si es lo que imagino será más hermosa la realidad. ¿No adivinan qué es?

NETO. —Nos trajiste un regalo.

RAQUEL. *(Divertida ante la curiosidad de sus hijos.)* —No. Tendremos visita. Así que quiero que se vistan rápido, guapos, bonitos, para dar muy buena impresión.

CARO. *(Dirigiéndose a mamá Tita.)* —Pero, ¿verdad que es de noche, abuela?

MAMA TITA. —Sí, pero es una noche muy hermosa y especial. Es Navidad. Es la noche de la nueva estrella, recuerden.

CARO. —¿Puedo ponerme mí vestido nuevo, mamá?

RAQUEL. —Claro que sí, pero pronto. Apúrense que no queremos que nos gane quien ha de llegar.

NETO. —Ya sé. Es doña Juanita y su familia.

MAMA TITA. *(Feliz.)* —Frío, frío.

RAQUEL. —¿Ya les decimos, mamá Tita?

MAMA TITA. *(Dejando la cocina se acerca a la cama donde los niños ya están casi arreglados.)* —¿Sabían que yo tengo un hijo?

NETO. —¡Pues claro! ¡Mi papá!

MAMA TITA. —¡Pues ha regresado!

CARO. —¡Papá, papá, mi papá! *(Vuelve el rostro en derredor, buscándolo.)*

NETO. *(Receloso interrumpe la alegría.)* —¿Y ya no nos pegará, como dice Caro?

MAMA TITA. —Esa historia ya pasó. El papá que ha llegado hoy, es un hombre lleno de arrepentimiento, fe, esperanza y amor.

(Entra Miguel Angel a escena. Arreglado, humildemente vestido, pero muy limpio. Sus pasos son vacilantes y tímidos.)

MAMA TITA. *(Al escucharlo entrar se dirige a él para traerlo con seguridad.)* —Hijo, ven a ver los dos hermosos hijos que el Señor Jesucristo te ha guardado.

(Un silencio profundo hace emotiva esta escena donde él los observa detenidamente. Ellos permanecen inmóviles. Una música suave empieza a elevarse en el ambiente.)

MIGUEL ANGEL. —¡Perdónenme, hijitos! ¡Nunca más los dejaré! Desde hoy tendrán el papá más cumplido del mundo entero. *(Los abraza y todos ríen de felicidad. Una tortilla que se quema interrumpe la escena.)*

MAMA TITA. —Miren nada más, hasta a la mejor cocinera se le quema el caldo. *(Todos ríen.)* Pasen a la mesa.

RAQUEL. —Aunque fuera la comida más humilde nunca faltó a la mesa. Demos gracias.

CARO. *(Entusiasmada.)* —¡Que papá haga la oración!

MIGUEL ANGEL. —Yo no podría. Madre, enséñame otra vez como cuando era niño, a orar con esa fe que te ha mantenido. Quiero aprender más de ustedes. En Alcohólicos Anónimos he aprendido una oración que dice: "Sólo por hoy seré feliz, seré agradable y tendré el mejor aspecto que pueda. Trataré de vivir intensamente este día. Sólo por hoy cuidaré mi cuerpo. Sólo por hoy tendré momentos de tranquila soledad y de descanso. En esta hora oraré a Dios. Sólo por hoy no tendré miedo de ser feliz, de disfrutar lo bello, de amar, de creer y de saber que me aman." Sólo por hoy, madre. Sólo por hoy, mis hijos. Sólo por hoy, amada mía. Sólo por hoy, mi Dios. *(Se inclina a la mesa llorando.)*

RAQUEL. *(Acariciándolo, llena de comprensión y de ternura.)* —No caerás, ni tropezarás con las mismas piedras, no sucederá. Ten fe. ¿Verdad que todos lo ayudaremos?

TODOS. —Sí, sí, sí.

CARO. —¡Yo te cuidaré, papito!

MAMA TITA. —Iremos a las reuniones en el templo, unidos todos como una verdadera familia.

MIGUEL ANGEL. *(Incorporándose.)* —Todos te acompañaremos. Dios nos ha llamado esta noche y debemos servirle. Tengo muy presente el pasaje bíblico que me leía todos los días el consejero pastoral del hospital. ¿Puedo leérselos?

CARO. —Yo te presto mi Biblia, papito. *(Se levanta y corre a traerla.)*

MIGUEL ANGEL. —Está en la segunda carta a Timoteo, capítulo 1 versículo 7: "Porque no nos ha dado Dios Espíritu de cobardía, sino de poder, de amor y de dominio propio." *(Lo lee lentamente y muy emocionado.)*

MAMA TITA. —Esta nueva estrella que hoy ilumina nuestro hogar es la fe, la esperanza y el amor que veo en ti como cuando eras pequeñito y empezabas a leer la Palabra de Dios. Esta es la realidad: que ha nacido hoy, en la ciudad de David, un Salvador que es Cristo el Señor. FELIZ NAVIDAD. *(Todos ríen. El telón se cierra lentamente.)*